'24 — '25年版

調剤報酬事務

〈よくある疑問〉が

すっきりわかる本

東京理科大学薬学部教授
有限会社グッドファーマシー代表取締役
鹿村恵明 監修

東京理科大学薬学部嘱託教授
株式会社ファーミック代表取締役
上村直樹 監修

東京理科大学薬学部臨床教授
公益社団法人神奈川県薬剤師会薬事情報センター長
花島邦彦 著

東京理科大学薬学部臨床教授
株式会社アップルケアネット取締役薬事部部長
下野江之介 著

株式会社シスプラ代表取締役
中屋瑞穂 著

ナツメ社

はじめに

　本書は、保険薬局にて働く事務員の方が、調剤報酬に関して疑問に思うことに応えるために作成しました。「第1章調剤報酬の算定」から「第4章処方箋の見方」では、薬局で働く職員として当然、知っておくべき事項を中心にまとめてありますが、「第5章レセプトの記載」などでは、知っていると"できる"と思われるような内容も盛り込んでみました。また、本書では、根拠となる法律や通知文をなるべく掲載するようにしました。根拠を知ればより理解も深まると思います。ぜひ、ご活用ください。

　見やすいQ&A形式になっていますので、最初のページから順番に読まなくても必要な部分の回答が得られます。また、急いでいるときには"A"の部分を読めば、すぐに解決できるようになっていますが、より詳細な内容を知りたいときには"もっと詳しく"を読んで理解を深められる構成になっております。

　もう1つの本書の特徴は、索引があることです。薬局の事務員として働くためには法律や保険のルール等、学ぶべきことがたくさんありますが、すべてを記憶するのは困難です。そこで本書ではキーワードによる索引を採用し、容易に検索できるようにしてあります。"あれ？　算定の条件はどうだったかな？"と思った時には、ぜひ、索引を利用して本文を読み返してみてください。

　令和6年度調剤報酬改定では「地域の医薬品供給拠点としての役割を発揮するための体制評価の見直し」「質の高い在宅業務の推進」「かかりつけ機能を発揮して患者に最適な薬学的管理を行うための薬局・薬剤師業務の評価の見直し」等が実施されましたので、本書'24-'25年度版では、令和6年度の改定内容を反映するとともに、内容の充実を図りました。また、巻末の「レセプト電算処理システム用コード一覧」や届出カレンダーを更新するなど、現場で働く方に役立つ資料を豊富に掲載しました。

本書の執筆は、長年、社会保険関係に携わっている花島邦彦先生。株式会社アップルケアネットにて、日々、現場の薬剤師からの質問に答えている下野江之介先生。そして、レセプト用コンピュータのシステムエンジニアとして薬局の事務員の方から様々な質問を受けている株式会社シスプラの中屋瑞穂さんにお願いしました。いずれも調剤報酬関係に精通したスペシャリストとして第一線でご活躍をされている方々です。

　薬剤師の業務内容が「対物業務」から「対人業務」へシフトする中、薬剤師の服薬指導の時間を確保するために最近では調剤機器のIT化が急速に進んでいます。そして、ほとんどの調剤機器はレセプト用コンピュータと連動しており、入力操作をする薬局の事務員の方の責任も重くなってきました。調剤報酬の算定方法もより複雑になっている昨今、これからは、"できる"事務員の方と調剤報酬に精通した薬剤師がいる薬局が生き残る時代が来るだろうと予想しております。本書によって、薬局業務や調剤報酬に関する知識が深まり、薬剤師からも一目置かれる事務員になっていただければ幸いです。

　本書は事務員の方だけでなく薬剤師の先生方にも、ぜひ活用してほしいという気持ちを込めて制作をしています。調剤報酬を算定する際には要件を確認し、算定要件に合致していれば自信を持って保険請求していただきたい。本書がそのための一助となることを切に願っております。

2024年7月

鹿村 恵明

上村 直樹

本書の使い方

本書の構成

本書は「調剤報酬の算定」「薬局業務の基礎知識」「保険の種類」「処方箋の見方」「レセプトの記載」「その他の関連項目」の6つの章で構成されています。また、巻末には「調剤報酬点数表」など便利な資料を掲載しています。

第1章 調剤報酬の算定

令和6年の改正、調剤基本料や薬剤調製料の加算、薬学管理料など実践的なQをまとめて解説しています。

第2章 薬局業務の基礎知識

そもそも薬局とは？ といった内容から、調剤にかかわる事務業務の基本をまとめています。

第3章 保険の種類

医療保険制度や公費医療制度など、事務員として知っておくべき保険の基本についてまとめています。

第4章 処方箋の見方

処方箋の受付手順をはじめ、事務員が処方箋を扱った際に、疑問に思いやすいQをまとめています。

第5章 レセプトの記載

レセプトの電算コードやコメント入力方法など、レセコン入力についてのQをまとめています。

第6章 その他の関連項目

介護保険や災害時における薬局の対応など、念のために知っておきたい！ というQをまとめています。

本書では、薬局の事務員が業務を行うにあたって、疑問に感じやすい点をピックアップして、解説をしています。

※「医薬品、医療機器等の品質、有効性及び、安全性の確保等に関する法律」を本書では「医薬品医療機器等法」と略して掲載しています。
※保険請求については、都道府県独自のルールが存在することがありますので、地域薬剤師会等にご確認されることをお勧めします。
※本文中に記載してある製品名・薬剤名については、それぞれの会社・団体の商標、登録商標、商品名です。なお、本文に®は明記しておりません。

本書では、基本的にひとつのQに対して、簡潔なAと、より詳しく掘り下げた"もっと詳しく"の3つの要素で解説をしています。また、根拠となる法律文や資料も記載しているので、より詳細を確認したい場合は、そちらを参照ください。

Q
事務員が疑問に思いやすいQをピックアップして掲載しています。

よりわかりやすく内容を理解するための、図を掲載しています。

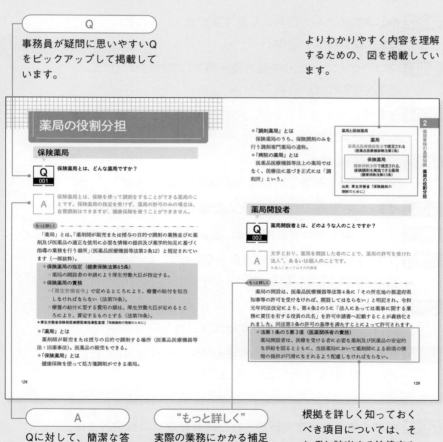

薬局の役割分担

保険薬局

Q 001 保険薬局とは、どんな薬局ですか?

A 保険薬局とは、保険を使って調剤をすることができる薬局のことです。保険薬局の指定を受けず、薬局の許可のみの場合は、自費調剤はできますが、健康保険を使うことができません。

もっと詳しく

「薬局」とは、「薬剤師が販売または授与の目的で調剤の業務並びに薬剤及び医薬品の適正な使用に必要な情報の提供及び薬学的知見に基づく指導の業務を行う場所」(医薬品医療機器等法第2条12)と規定されています(一部抜粋)。

● 保険薬局の指定(健康保険法第65条)
　・薬局の開設者の申請により厚生労働大臣が指定する。
● 保険薬局の責務
　・「厚生労働省令」で定めるところにより、療養の給付を担当しなければならない(法第70条)。
　・療養の給付に関する費用の額は、厚生労働大臣が定めるところにより、算定するものとする(法第76条)。
※厚生労働省保険局医療課医療指導監査室「保険調剤の理解のために」

● 「薬局」とは
薬剤師が販売または授与の目的で調剤する場所(医薬品医療機器等法:旧薬事法)。医薬品の販売もできる。
● 「保険薬局」とは
健康保険を使って処方箋調剤ができる薬局。

● 「調剤薬局」とは
保険薬局のうち、保険調剤のみを行う調剤専門薬局の通称。
● 「病院の薬局」とは
医薬品医療機器等法上の薬局ではなく、医療法に基づき正式には「調剤所」という。

薬局と保険薬局

薬局
医薬品医療機器等法で規定される
(医薬品医療機器等法第2条)

保険薬局
健康保険法等で規定され、
保険調剤を実施できる薬局
(健康保険法第65条)

出典:厚生労働省「保険調剤の理解のために」

薬局開設者

Q 002 薬局開設者とは、どのような人のことですか?

A 文字どおり、薬局を開設した者のことで、薬局の許可を受けた法人※。あるいは個人のことです。
※法人にあってはその代表者

もっと詳しく

薬局の開設は、医薬品医療機器等法第4条に「その所在地の都道府県知事等の許可を受けなければ、開設してはならない」と明記され、令和元年同法改定により、第4条2の1に「法人にあっては薬事に関する業務に責任を有する役員の氏名」を許可申請書に記載することが義務化されました。同法第5条の許可の基準を満たすことによって許可されます。

● 法第1条の5第3項(医薬関係者の責務)
薬局開設者は、医療を受ける者に必要な薬剤及び医薬品の安定的な供給を図るとともに、当該薬局において薬剤師による前項の情報の提供が円滑になされるよう配慮しなければならない。

128

129

2
薬局業務の基礎知識 薬局の役割分担

A
Qに対して、簡潔な答えを掲載しています。

"もっと詳しく"
実際の業務にかかる補足事項、注意しておきたい点などを解説しています。

根拠を詳しく知っておくべき項目については、それぞれ該当する法律文や通知文を掲載しています。

第2章　薬局業務の基礎知識

第3章　保険の種類

医療保険制度のしくみ

公費負担医療制度のしくみ

第4章　処方箋の見方

第5章 レセプトの記載

第6章　その他の関連項目

介護保険 -

第1章

調剤報酬の算定

令和6年度の改定の概要

令和6年度の改定の概要

 令和6年度の改定でなにが変わったの？

 令和6年度の改定で新設されたもの、変わったもののなかで、主なものを以下に記載します。

もっと詳しく

　前回の令和4年（2022年）改訂では、「モノ」から「ヒト」への流れの中、薬剤師の業務が対物業務と対人業務に明確に分けられ、評価体系が大幅に変更されました。

　今回の改訂では、「モノ」の部分である薬剤調製業務においては、嚥下困難者用製剤加算が自家製剤加算に組み込まれたこと（第1章Q049参照）くらいで、大きな動きはありませんでした。一方、「ヒト」の部分においては、医療のDX化や地域支援、在宅業務等において、きちんとした体制の整備と高度な対人業務が益々評価の対象となっていることが特徴となっています。

　改訂内容の主なポイントは以下のとおりです。

● 地域の医薬品供給拠点としての体制評価

① かかりつけ機能の強化

■ 地域支援体制加算の要件強化（具体的な算定要件の変更についてはP30〜32参照）

② 新興感染症等への対応

■ 第二種協定指定医療機関の指定要件を踏まえた見直し（連携強化加算）

■ 新興感染症等の患者への訪問指導を評価（在宅患者緊急訪問薬剤管理指導料1）（1章Q074参照）

③医療DXの推進

■ 電子処方箋、マイナ保険証利用率、電子カルテ情報共有サービス、電子薬歴等の医療DX対応を評価（医療DX推進体制整備加算）

● 最適な薬学的管理を求めた薬局・薬剤師業務の評価

①かかりつけ薬剤師業務の評価の見直し

■ 休日・夜間等のやむを得ない場合は薬局の他の薬剤師による対応を可とする。

■ かかりつけ薬剤師と連携して対応できる薬剤師を1名から複数名に変更し、その薬剤師の条件に、週の勤務時間や認定薬剤師、地域活動を追加（服薬指導の特例）（1章Q058参照）。

■ かかりつけ薬剤師指導料と吸入指導加算・調剤後薬剤管理指導料との併算定可。

②調剤後フォローアップの推進

■ 糖尿病患者の対象をSU剤とインスリン製剤から全ての糖尿病用剤に拡大（調剤後薬剤管理指導料1）。

■ 慢性心不全患者を追加（調剤後薬剤管理指導料2）。

③医療・介護の多職種への情報提供を評価

■ 介護支援専門員（ケアマネジャー）への情報提供を評価（服薬情報等提供料2-ハ）（1章Q068参照）。

■ リフィル処方箋調剤後の医療機関への情報提供の評価を明確化（服薬情報等提供料1・2-ロ）（1章Q067・Q068参照）。

④メリハリをつけた服薬指導の評価

■ ハイリスク薬の服薬指導の算定時期の見直し（特定薬剤管理指導加算1）（1章Q056参照）。

■ 医薬品リスク管理計画（RMP）対象薬に対する服薬指導を評価（特定薬剤管理指導加算3）。

■ 長期収載品の選定療養、供給不足による医薬品の変更の説明を評価（特定薬剤管理指導加算3）。

● 在宅医療の強化

①在宅訪問の体制

■ がん末期などのターミナルケア、小児在宅医療に対応した訪問薬剤管

理指導の体制を整備している薬局を評価（在宅薬学総合体制加算2）。

②ターミナル期の患者への対応

■ 麻薬注射投与患者の定期訪問回数を月4回から8回へ。

■ ターミナル期の患者の緊急訪問回数を月4回から8回へ。

■ ターミナル期の患者への夜間・休日・深夜における緊急訪問を新たに評価（1章Q079参照）。

■ 希釈・混合を伴わない麻薬注射の無菌調製を無菌製剤処理加算算定可へ（1章Q050参照）。

③在宅患者への薬学的管理及び指導の評価拡充

■ 医師と同行訪問等による情報共有によって、処方箋交付前に医師と処方内容を調整した場合を評価（在宅患者重複投薬・相互作用等防止加算）（1章Q072参照）。

■ 退院直後など、計画的訪問予定患者に対する処方箋交付前の訪問指導を評価（在宅移行初期管理料）（1章Q071参照）。

④高齢者施設の薬学管理の充実

■ 従来算定対象外であったショートステイ利用者、介護医療院、介護老人保健施設への訪問指導を評価（服薬管理指導料3）。

■ 特別養護老人ホーム等と連携し、入所時や処方変更時等において、施設職員と協働での服薬支援を評価（施設連携加算）。

上記以外にも、1章Q080（医療情報取得加算）、Q088（容器代）にも改定の情報を掲載していますので確認してください。

地域支援体制加算における施設基準及び従来からの変更点

	調剤基本料1		調剤基本料1以外		改定前からの変化			
	地域支援1	地域支援2	地域支援3	地域支援4	地域支援1	地域支援2	地域支援3	地域支援4
①時間外等及び夜間・休日等の対応実績	40回以上		400回以上		新設	400回↓40回	同じ	
②麻薬調剤加算	1回以上		10回以上		新設	10回↓1回	同じ	

	調剤基本料1		調剤基本料1以外		改定前からの変化			
	地域支援1	地域支援2	地域支援3	地域支援4	地域支援1	地域支援2	地域支援3	地域支援4
③重複投薬・相互作用等防止加算（含在宅）	20回以上		40回以上		新設	40回 ↓ 20回	同じ	
④かかりつけ薬剤師指導料（含包括管理料）	20回以上		40回以上		届のみ ↓ 20回	40回 ↓ 20回	同じ	
⑤外来服薬支援料1	1回以上		12回以上		新設	12回 ↓ 1回	同じ	
⑥服用薬剤調整支援料1・2	1回以上		1回以上		新設	同じ	同じ	
⑦個人宅への在宅・居宅等（除オンライン）（含算定回数超）	24回以上		24回以上		施設含む ↓ 個人宅のみ	同じ	同じ	
⑧服薬情報等提供料（含併算定不可の場合）（除：特別調剤基本料A薬局が特別な関係の医療機関へ行った場合）	30回以上		60回以上		12回 ↓ 30回	60回 ↓ 30回	同じ	
⑨小児特定加算	1回以上		1回以上		新設	新設	新設	
⑩研修認定薬剤師が多職種連携会議へ出席	1回以上		5回以上		同じ	5回 ↓ 1回	同じ	
※①〜⑨は年間受付1万回あたりの実績、⑩は年間実績	④を含む3項目以上	8項目以上	④及び⑦を含む3項目以上	8項目以上	改定前は「④、⑦は必須。⑧と⑩はどちらか一方」	3項目以上 ↓ 8項目以上	④と⑦を含む3項目以上（同じ）	8項目以上（同じ）
点数	32点	40点	10点	32点	39点 ↓ 32点	47点 ↓ 40点	17点 ↓ 10点	39点 ↓ 32点

地域支援体制加算1〜4すべてに求められる要件

2-ア	医療用薬品1,200品目備蓄	同じ
2-イ	地域の薬局・医療機関で在庫状況共有・融通 （除：同一グループ）	新設
2-ウ	医療材料及び衛生材料を供給できる体制	同じ
2-エ	麻薬小売業免許	同じ
2-オ	集中率85%超薬局は、後発調剤70%以上	50%➡70%
2-カ	医薬品情報を随時提供できる体制	同じ
3-ア	平日8時間以上、土・日いずれか一定時間以上、 週45時間以上開局	同じ
3-イ	休日・夜間を含む開局時間外対応 （連携薬局及び輪番制を認める）	輪番制が追加
3-ウ	当該薬局利用患者からの夜間・休日の相談応需体制	新設
3-エ	行政・在宅関連・医療機関に時間外体制周知 （グループ対応可）	ほぼ同じ
4-ア	在宅療養を担う医療機関及び訪問看護STとの連携体制	同じ
4-イ	保健医療サービス及び福祉サービス担当者との 連携体制	同じ
4-ウ	在宅薬剤管理実績（こちらは施設を含む）年間24回以上	同じ
5-ア	医薬品安全情報へ対応	同じ
5-イ	プレアボイド事例の把握・収集に関する取組	同じ
5-ウ	副作用報告に係る手順書及び実施体制	同じ
7	患者ごとに薬歴を作成し、薬学的管理を行い、服薬指導	同じ
8-ア	管薬は保険薬剤師5年以上	同じ
8-イ	管薬は週32時間以上勤務	同じ
8-ウ	管薬は当該薬局に継続して1年以上在籍	同じ
9	調剤従事者等の資質向上（研修計画・研修実施等）	同じ
10	患者のプライバシーに配慮	同じ
11-ア	要指導医薬品・一般用医薬品を販売（48薬効群）	要指導医薬品 追加・ 薬効群指定
11-イ	健康相談又は健康教室を行う	行っている旨 掲示➡行う
11-イ	地域住民の生活習慣改善、疾患予防の取り組みを 行うといった健康情報拠点	同じ
11-ウ	緊急避妊薬の備蓄・調剤体制	新設
11-エ	敷地内禁煙	新設
11-オ	たばこ及び喫煙器具を販売していない	新設

調剤基本料

処方箋の入力

同じ病院の内科と外科から処方箋が出ているけど、どう入力すればいいの？

同一日に同一医療機関の複数の科から発行された処方箋は、受付回数1回としてまとめて入力します。そのため、1回の入力で、発行された処方箋の内容をすべて入力します（歯科を除く）。

厚生労働省：診療報酬の算定方法の一部改正に伴う実施上の留意事項について（通知）
令和6年3月5日　保医発0305第4号　別添3

もっと詳しく

　この場合、1枚の処方箋を2人の医師が記載したと考えればよいでしょう。医師の名前もすべて入力しなければなりません。入力方法はレセコンによって異なりますので、詳細は販売メーカーに確認してください。

　薬剤調製料などの調剤技術料や薬学管理料も1枚の処方箋と同じ考え方で計算します。つまり、調剤基本料は1回のみ、服薬管理指導料も1回のみの算定となります。

　内服の薬剤調製料及び調剤管理料は、剤（用法）毎に3回までの算定となります。診療科が違っても同じ用法であれば、薬剤調製料及び調剤管理料を重複算定することはできません。

　ただし、同一医療機関から発行された処方箋であっても、歯科（口腔外科を含む）以外の処方箋と歯科（口腔外科を含む）の処方箋は別受付として算定できます。また、歯科（口腔外科を含む）とその他の診療科では、医療機関コードが異なりますので、注意が必要です。

Q 003 2つのクリニックからの処方箋を同時に受け付けたけど、どう入力すればいいの？

 A 同一日に異なる医療機関から発行された処方箋は、それぞれ別々に入力します。

厚生労働省：診療報酬の算定方法の一部改正に伴う実施上の留意事項について（通知）
令和6年3月5日　保医発0305第4号　別添3

もっと詳しく

　異なる医療機関から発行された処方箋は、同時に受け付けても、それぞれ別々の処方箋として扱います。たとえ服薬指導を同時に行ったとしても、調剤基本料も服薬管理指導料も医療機関の数だけ算定できます。

　ただし、2020年4月より複数の医療機関が交付した処方箋を同時にまとめて受け付けた場合は、1回目の受付は調剤基本料の所定点数を算定し、2回目以降は調剤基本料の所定点数を100分の80にし、小数点以下第一位を四捨五入した点数を算定することになりましたので、注意が必要です。

 Q 004 午前中に来た患者さんが、夕方熱が出たからといってまた来局された。どう入力すればいいの？

 A 一度、診療を終えたあとに病態が急変し、再度、同一医療機関を受診した場合には、別受付として取り扱って差し支えないことになっています。なお、この場合、レセプトの摘要欄にその理由がわかるように記載しておく必要があります。

もっと詳しく

　同一日に同一医療機関から発行された処方箋は、受付回数1回としてまとめて入力します。たとえ午前と午後に受診して2回に分けて処方箋を提出しても受付1回として扱います。午後の会計の際には、全体の一

部負担金から午前中に徴収した一部負担金を差し引いた差額を徴収することになります。

しかし、一度、診療を終えたあとで病態が急変し、再度、同一医療機関を受診した場合には、別受付として取り扱って差し支えないことになっています。

この場合、調剤基本料や服薬管理指導料も2回算定することが可能です。なお、レセプトの審査の際に、その理由がわかるように「＊月＊日＊時＊分受付、X時X分　急性増悪（発熱）による同日再受診により再受付」等のコメントをレセプトの摘要欄に記載しておく必要があります。

分割調剤

Q 005

分割調剤の場合、2回目以降も服薬管理指導料の算定はできますか？

A

分割調剤における服薬管理指導料の算定は、「後発医薬品の試用を目的とする場合」は最初と2回目の調剤時に算定できますが、「医薬品の長期保存の困難性などを理由とする場合」は最初の調剤時のみ算定可です。「医師の分割指示による場合」は、1回分の服薬管理指導料を分割回数で除した点数を毎回算定します。ただし医師の分割指示による分割調剤において、処方医に情報提供を行った場合、服薬情報提供料は分割回数で除した点数ではなく、通常の点数を算定できます。

厚生労働省：診療報酬の算定方法の一部改正に伴う実施上の留意事項について（通知）
令和6年3月5日　保医発0305第4号　別添3

もっと詳しく

分割調剤には、「後発医薬品の試用を目的とする場合」と「医薬品の長期保存の困難性などを理由とする場合」および「医師の分割指示による場合」の3種類があります。

分割調剤の目的によって算定できる点数が異なりますので、注意が必要です。

分割調剤における請求点数の考え方

分割調剤の種類	調剤報酬	1回目の調剤時	2回目の調剤時	3回目以降の調剤時
後発医薬品の試用を目的とする場合	調剤基本料	通常点数算定	5点	不可
	薬剤調製料	算定可	通算日数の調製料－初回調製料	通算日数の調製料－前回までの調製料
	調剤管理料	実際の管理料	通算日数の管理料－初回管理料	通算日数の管理料－前回までの管理料
	服薬管理指導料	算定可	算定可	不可
	薬剤料	実際の調剤分	実際の調剤分	実際の調剤分
医薬品の長期保存の困難性などを理由とする場合	調剤基本料	通常点数算定	5点	5点
	薬剤調製料	算定可	通算日数の調製料－初回調製料	通算日数の調製料－前回までの調製料
	調剤管理料	実際の管理料	通算日数の管理料－初回管理料	通算日数の管理料－前回までの管理料
	服薬管理指導料	算定可	不可	不可
	薬剤料	実際の調剤分	実際の調剤分	実際の調剤分
医師の分割指示による場合	調剤基本料	分割調剤を実施しない場合に算定する点数を合算し、分割回数で除した点数	分割調剤を実施しない場合に算定する点数を合算し、分割回数で除した点数	分割調剤を実施しない場合に算定する点数を合算し、分割回数で除した点数
	薬剤調製料			
	調剤管理料			
	服薬管理指導料			
	薬剤料	実際の調剤分	実際の調剤分	実際の調剤分

＊ただし、服薬情報等提供料については、医師の分割指示による分割指示において、処方医に情報提供を行った場合は、分割回数で除した点数ではなく、通常の点数を算定する。

リフィル処方箋

 リフィル処方箋ってなに？　どんな薬でも処方できるの？

 リフィル処方箋とは、一定期間内に処方箋を反復利用できる処方箋です。投薬量に限度が定められている医薬品及び貼付剤については、リフィル処方箋による投薬を行うことはできないとされています。

厚生労働省：診療報酬の算定方法の一部改定に伴う実施上の留意事項について（通知）
令和6年3月5日　保医発0305第4号　別添3

もっと詳しく

　リフィル処方とは、症状が安定している患者さんにおいて、医師の処方により医師と薬剤師の適切な連携のもと、**一定期間内に処方箋を反復利用できるしくみ**です。

　処方箋の「リフィル可」欄にレ点があり、総使用回数の記載（2回または3回）があれば、リフィル処方箋であると判断します。

　保険医療機関及び保険医療養担当規則において、投薬量に限度が定められている医薬品（麻薬、向精神薬、新医薬品等）及び貼付剤については、リフィル処方箋による投薬を行うことはできないとされています。処方日数については、上限は設けられておらず、「1回当たり投薬期間及び総投薬期間は、医師が、患者の病状等を踏まえ、個別に医学的に適切と判断した期間とする。」とされています。

　リフィル処方箋により調剤することが不適切と薬剤師が判断した場合には、調剤を行わず患者さんに受診を勧めた上で、速やかに医師へ情報提供しなければなりません。

Q 007 リフィル処方箋の有効期間は、通常の処方箋と同じですか？

A 初回の調剤は、通常の処方箋と同じように医師が使用期間欄に期日を記載していない限り、交付の日を含めて４日以内となります。２回目以降の調剤については、処方箋に薬剤師が記入した「次回調剤予定日」の前後７日以内となります。

厚生労働省：診療報酬の算定方法の一部改正に伴う実施上の留意事項について（通知）
令和６年３月５日　保医発0305第４号　別添３

もっと詳しく

　リフィル処方箋も基本的に通常の処方箋と同じものなので、交付年月日の隣に「処方箋の使用期間」の欄が設けられています。この使用期間は、初回の調剤における使用期間となります。

　２回目以降の使用期間は、薬剤師が調剤を行った際に、処方箋下部に記載した「次回調剤予定日」の前後７日間となります（例えば、次回調剤予定日が６月13日である場合、次回調剤予定日を含まない前後７日間の６月６日から６月20日までの間となります）。

　患者さんが調剤予定日の７日前より以前に来局した場合は、調剤せずに期間内に再来局するよう指導し、７日以降に来局した場合は、調剤せずに受診勧奨することになります。

　リフィル処方箋の有効期間は、まだ患者さんにとってもわかりにくいものです。処方箋をお返しする際には、丁寧な説明が必要です。

リフィル処方箋による次回調剤予定日って、いつ？　投与期間を経過する日って？

前回の調剤日を起点とし、当該調剤に係る投与期間を経過する日を次回調剤予定日とします。具体的には、4月1日に28日分調剤した場合、次回調剤予定日は4月29日とします。

もっと詳しく

【リフィル処方箋の仕組みについて】

● リフィル処方箋による調剤を行う場合は、1回目の調剤を行うことが可能な期間については、使用期間に記載されている日までとする。2回目以降の調剤については、原則として、前回の調剤日を起点とし、当該調剤に係る投薬期間を経過する日を次回調剤予定日（実際に投薬が終了する日）とし、その前後7日以内とする。

● 保険薬局の保険薬剤師は、リフィル処方箋による1回目又は2回目（総使用回数3回の場合）の調剤を行う場合、リフィル処方箋に調剤日及び次回調剤予定日を所定の欄に記載するとともに、調剤を実施した保険薬局の名称及び保険薬剤師の氏名を余白又は裏面に記載の上、調剤録等を作成した後、リフィル処方箋を患者に返却すること。その際、必要な事項が記入されたリフィル処方箋の写しを調剤録とともに保管すること。また、当該リフィル処方箋の総使用回数の調剤が終わった場合、調剤済処方箋として保管すること。

厚生労働省：診療報酬の算定方法の一部改正に伴う実施上の留意事項について（通知）令和6年3月5日　保医発0305第4号　別添3

次回調剤予定日の考え方

次回調剤予定日	＝	今回調剤日	＋	調剤日数

Q 009 リフィル処方箋は、いつも同じ保険薬局に出さなければいけないの？

A 原則として、「継続的な薬学的管理指導のため、同一の保険薬局で調剤を受けるべきである」とされていますが、他の薬局では調剤できないというわけではありません。

厚生労働省：診療報酬の算定方法の一部改正に伴う実施上の留意事項について（通知）
令和6年3月5日　保医発0305第4号　別添3

もっと詳しく ─────────────────────

　リフィル処方箋の調剤を行った場合は、患者さんに対して、継続的な薬学的管理指導のため、同一の保険薬局で調剤を受けるよう説明しなければなりません。しかし、必ずしも同じ薬局で調剤を受けなければならないという決まりがあるわけではありません。患者さんの都合等で他の薬局で調剤を受けたいという申し出があった場合は、それを断ることはできません。

　患者さんが他の保険薬局において調剤を受けることを申し出ている場合は、患者さんが希望されている保険薬局に調剤の状況とともに必要な情報をあらかじめ提供することが求められています。

　逆に、前回ほかの薬局で調剤を受けたリフィル処方箋を自薬局で受け付けた場合は、前回調剤した薬局に情報提供を求めるなどの対応が必要でしょう（本来調剤を受ける薬局で、受診勧奨され調剤を受けることができなかったために、自薬局に処方箋を提出されるような事例も考えられます）。

Q 010 リフィル処方箋と通常の処方箋を同時に受け付けました。どのように計算すればよいでしょうか?

A リフィル処方箋とリフィル以外の処方箋をまとめて1枚の処方箋と考えて計算します。

もっと詳しく ― ・ ― ・ ― ・ ― ・ ― ・ ― ・ ― ・ ― ・ ― ・ ― ・ ― ・ ― ・ ― ・ ―

　慢性疾患の薬をリフィル処方箋で処方された患者さんに、感冒などの薬が通常の処方箋で処方されたり、向精神薬や湿布薬などリフィル処方不可薬剤が通常の処方箋で処方されたりすることがあります。また、内科でリフィル処方箋が発行され整形外科で通常の処方箋が発行されるような場合もあります。

　同一患者から同一日に複数の処方箋を受け付けた場合、同一保険医療機関から交付された処方箋は一括して受付1回と数えるとされており（病態急変による再受診を除く）、リフィル処方箋の場合も同様に考えます。

　この場合、リフィル処方箋は患者さんに返却してしまいます。調剤録は1枚となるので、調剤録にリフィル処方分を含むことを記録しておき、あとから確認できるようにしておいたほうがよいでしょう。

薬剤調製料・調剤管理料

調剤管理料

Q 011 令和4年度の改定で新設された調剤管理料の算定方法は、従来の調剤料の算定とどう違うの？

A 内服薬に関しては、従来の調剤料と同じように処方日数に応じた点数を3剤まで算定できます。しかし、その他の剤（外用薬、注射薬、屯服薬、浸煎薬、湯薬）については、処方箋受付1回につき1回しか算定できません。また、内服薬において調剤管理料を算定した場合は、内服薬以外の剤では算定できません。

厚生労働省：診療報酬の算定方法の一部を改正する告示　令和6年3月5日　厚生労働省告示第57号　別表三

もっと詳しく

　調剤管理料は、まず内服薬が処方されているかどうかで判断します。内服薬が処方されている場合、従来の調剤料と同じように処方日数に応じた点数を3剤まで算定しますが、内服薬以外の剤において調剤管理料を算定することはできません。

　内服薬が処方されていない場合は、4点を1回だけ算定します。たとえ外用薬が2剤処方されていても、外用薬と注射薬が処方されていても、算定は1回だけです。

1　内服薬（浸煎薬及び湯薬を除く）を調剤した場合（1剤につき）	
イ　7日分以下の場合	4点
ロ　8日分以上14日分以下の場合	28点
ハ　15日分以上28日分以下の場合	50点
ニ　29日分以上の場合	60点
2　1以外の場合	4点

調剤管理加算

調剤管理加算を算定するにあたって、「初めて処方箋を持参した場合」ってどう判断すればいいの？

その患者さんの薬剤服用歴が残っていない場合は、「初めて」と考えます。薬剤服用歴の記録が残っていても、最後の記録から3年以上経過している場合は「初めて」と解釈します。

厚生労働省：事務連絡　疑義解釈資料の送付について（その1）令和4年3月31日

もっと詳しく

【令和4年3月31日厚生労働省事務連絡「疑義解釈資料の送付について（その1）」問19】によると、以下のとおりです。

　問「初めて処方箋を持参した場合」とは、薬剤服用歴に患者の記録が残っていない場合と考えてよいか。

　答よい。ただし、薬剤服用歴等に患者の記録が残っている場合であっても、当該患者の処方箋を受け付けた日として記録されている直近の日から3年以上経過している場合には、「初めて処方箋を持参した場合」として取り扱って差し支えない。

調剤管理加算の算定要件に、「処方内容の変更により薬剤の変更又は追加があった場合」と記載されているけど、薬が減った場合でも算定できるの？

薬が減った場合には算定できません。

厚生労働省：診療報酬の算定方法の一部改正に伴う実施上の留意事項について（通知）令和6年3月5日　保医発0305第4号　別添3

もっと詳しく

算定できる処方内容の変更とは、内服薬の種類が変更された場合、ま

たは内服薬の種類数が1種類以上増加した場合とされています。なお、調剤している内服薬と同一薬効分類の有効成分を含む配合剤及び内服薬以外の薬剤への変更は、内服薬の種類が変更した場合に含めないとされています。

　例えば、糖尿病治療薬でも、同じ分類の薬に変更された場合は算定できません。異なる分類の糖尿病治療薬に変更された場合は算定の対象となります。必ず薬剤師に同じ分類の薬か、異なる分類の薬か確認してください。

【令和4年3月31日厚生労働省事務連絡「疑義解釈資料の送付について（その1）」問20】によると、以下のとおりです。

> 問「処方内容の変更により内服薬の種類が変更した場合」とは、処方されていた内服薬について、異なる薬効分類の有効成分を含む内服薬に変更された場合を指すのか。
>
> 答そのとおり。

1回の受付で、医療機関ごとに調剤管理加算を複数回算定してもいいの？

調剤管理加算は、1回の受付において1回のみの算定となります。

もっと詳しく

　複数の医療機関の処方箋を一度に受け付け、調剤管理加算が算定できる場合、調剤管理加算は複数の医療機関のいずれか1か所の処方においてのみ算定可能となります。

【令和4年3月31日厚生労働省事務連絡「疑義解釈資料の送付について（その1）問18」】によると、以下のとおりです。

> 問複数の保険医療機関から合計で6種類以上の内服薬（特に規定

するものを除く）が処方されている患者について、当該患者の複数
の保険医療機関が交付した処方箋を同時にまとめて受け付けた場合、
処方箋ごとに調剤管理加算を算定可能か。

　圏算定不可。複数の保険医療機関が交付した同一患者の処方箋を
同時にまとめて受け付けた場合、調剤管理加算は1回のみ算定でき
る。

剤と調剤の考え方

1剤と1調剤の違いはなに？

「剤」とは「用法」によってグループ化されたものであり、「調
剤」とは「用法と投与日数」によってグループ化されたもので
す。つまり、「A錠　分3　毎食後　28日分」と「B錠　分3
毎食後　7日分」が処方された場合では、1剤で2調剤となりま
す。

厚生労働省：診療報酬の算定方法の一部改正に伴う実施上の留意事項について（通知）
令和6年3月5日　保医発0305第4号　別添3

<hr>

もっと詳しく ━━━━━━━━━━━━━━━━━━━━━━━━━━━━━━

　内服薬（浸煎薬及び湯薬を除き、内服用滴剤以外のもの）の薬剤調製
料及び調剤管理料の算定は、「1剤」を所定単位として算定します。

　1回の処方において、2種類以上の内服薬を調剤する場合には、服用
時点が同一であるものは、投与日数にかかわらずまとめて「1剤」とし
て算定します。

　ただし、次の場合は、それぞれを別剤として算定できます。
①配合不適等調剤技術上の必要性から個別に調剤した場合
②内服用固形剤（錠剤、カプセル剤、散剤等）と内服用液剤の場合

③内服錠とチュアブル錠または舌下錠等のように服用方法が異なる場合

　「1調剤」とは、同じ剤のなかで、投与日数毎に分割した単位です。内服薬を投与する際に、同じ薬袋に入れることができるものを「1調剤」と考えるとわかりやすいでしょう。

　麻薬、向精神薬、覚醒剤原料又は毒薬加算、自家製剤加算、計量混合調剤加算は同じ剤であっても「1調剤」毎に算定することができます。

 同じ分3毎食後の薬。服用時期が違うけど、薬剤調製料及び調剤管理料は1回しか取れないの？

 成分が異なる同一用法の内服薬が複数処方されていて、服用日が異なる場合、それぞれ薬剤調製料及び調剤管理料を算定することができます。

もっと詳しく ╌╌╌╌╌╌╌╌╌╌╌╌╌╌╌╌╌╌╌╌╌╌╌╌╌

　内服薬（浸煎薬及び湯薬を除き、内服用滴剤以外のもの）についての薬剤調製料及び調剤管理料の算定はそれぞれ「1剤」を所定単位として算定します。

　1回の処方において、2種類以上の内服薬を調剤する場合には、服用時点が同一であるものは、投与日数にかかわらずまとめて1剤として算定します。

　しかし、服用するタイミングが異なれば、別剤として算定してかまいません。つまり、同じ用法の内服薬が複数あり、服用日が異なれば、それぞれ薬剤調製料及び調剤管理料を算定できることになります。

> 例
>
> 　A錠　3錠　分3　毎食後　7日分（最初の7日間服用）
> 　B錠　6錠　分3　毎食後　7日分（8日目から服用）

　以上2剤において、それぞれ7日分の薬剤調製料及び調剤管理料を算定できます。

　この場合、レセプトの摘要欄に、「830100001：その他」を入力し、具体的な理由（例：A錠服用後B錠を服用のため、それぞれ7日分ずつ薬剤調製料及び調剤管理料を算定）を記載しなければなりません。

食後と食直後は同じ剤といわれましたが、どうやって請求すればいいの？

食後と食直後の薬が同じ処方箋内に処方されている場合は、まとめて1剤とし、同じ枠に入力し、請求しなければなりません。

厚生労働省：診療報酬の算定方法の一部改正に伴う実施上の留意事項について（通知）
令和6年3月5日　保医発0305第4号　別添3

もっと詳しく

　1回の処方において、2種類以上の内服薬を調剤する場合には、服用時点が同一であるものは、投与日数にかかわらずまとめて1剤として算定します。

　服用時点を判断する観点は、「食事を目安としたもの」「時間を目安としたもの」「生活習慣を目安としたもの」になります。

　食事を目安としたもの：食前・食間・食後の3区分のみ

　時間を目安としたもの：6時間ごと、8時間ごとなど

　生活習慣を目安としたもの：起床時、就寝前など

　ここでいう「食後」とは「食直後」を含みます。同様に「食前」は「食直前」を、「食間」は「食後2時間」を含みます。

　食後と食直後が同じ日数で処方されている場合は、両方とも食後として同じ枠に入力しなければなりません。これは、同じ枠に入力しなければ薬剤料の計算に差が出てくる場合があるからです。

　同じ日数でなければ、1剤ですが2調剤となり、別枠に入力します。

＊レセコンによっては、食後と食直後を別々に入力すると、薬剤調製料及び調剤管理料が別々に算定されてしまい、過算定につながってしまうものがあります。このようなレセコンの場合、まず食後と食直後は別々に入力し、薬袋や情報提供書、お薬手帳を印刷してから、食後と食直後をまとめて入力し直し、一部負担金を計算し、保険請求する必要があります。

Q 018 同じ成分で含量の違う錠剤を朝と夕にそれぞれ服用します。どう入力すればいいの？

同一有効成分であって同一剤形の薬剤が複数ある場合は、その数にかかわらずまとめて「1剤」として算定します。そのため、同じ枠に入力して薬剤調製料及び調剤管理料や薬剤料を算定します。

厚生労働省：診療報酬の算定方法の一部改正に伴う実施上の留意事項について（通知）令和6年3月5日　保医発0305第4号　別添3

もっと詳しく ━ ・ ━ ・ ━ ・ ━ ・ ━ ・ ━ ・ ━ ・ ━ ・ ━ ・ ━ ・ ━

　1回の処方において、同一有効成分であって同一剤形の薬剤が複数ある場合は、その数にかかわらずまとめて1剤として算定します。

> 例
> ラシックス錠40mg　1錠　　分1　　朝食後
> ラシックス錠20mg　1錠　　分1　　昼食後
> 30日分

このような処方の場合は、

> ラシックス錠40mg　1錠
> ラシックス錠20mg　1錠
> 　分2　　朝昼食後　　30日分
> 　（朝：40mg、昼：20mg）

と入力します。

　ただし、同じ成分でも普通錠と口腔内崩壊錠（OD錠）のような処方の場合は、別々に入力して、それぞれ薬剤調製料及び調剤管理料を算定することができます。このような同一成分における剤形と剤の考え方は、平成28年4月25日に発出されたQ＆Aに詳しく記載されています。

【平成28年4月25日厚生労働省医療課事務連絡「調剤」問2】
　圊内服薬と外用薬の調剤料の取り扱いについて、同一の有効成分であって同一剤形の薬剤が複数ある場合は、その数にかかわらず1剤（1調剤）とされているが、「同一剤形」の範囲はどのように考

えたらよいか。

答 下記の剤形については、それぞれ別剤形として取り扱う。

● 内用薬

錠剤、口腔内崩壊錠、分散錠、粒状錠、カプセル剤、丸剤、散剤、顆粒剤、細粒剤、末剤、液剤、シロップ剤、ドライシロップ剤、経口ゼリー剤、チュアブル、バッカル、舌下錠

なお、本取り扱いは、内服薬と外用薬に係る調剤料における考え方であり、例えば、調剤時の後発医薬品への変更に関する剤形の範囲の取り扱いとは異なることに留意すること。

＊レセコンの種類によっては、処方どおりまとめて同じ枠に入力すると、薬袋などが本来の用法で印字できなくなってしまうことがあります。そのような場合は、まず、処方どおり入力し、薬袋や情報提供書、お薬手帳を印刷してから、まとめて1剤として入力し直し、一部負担金を計算し、保険請求する必要があります。

Q 019 精神科などの処方で、朝食後、昼食後、夕食後と、服用時点毎に処方を書いてくる先生がいますが、どうやって入力すればいいの？

A 同一有効成分であって同一剤形の薬剤が複数ある場合は、その数にかかわらず1剤とします。よって、医師が、同じ成分の薬を用法毎に別々に処方していても、薬局では、それらをまとめて1剤として入力しなければなりません。

もっと詳しく

処方例

A錠50mg　1錠
B錠1mg　1錠　分1　朝食後

A錠25mg　1錠　分1　昼食後

A錠50mg　1錠

B錠1mg　1錠　　分1　　夕食後

前述のような処方の場合、以下のように整理して入力します。

A錠50mg　2錠

A錠25mg　1錠　　分3　　毎食後

（朝夕は1回50mg1錠、昼は1回25mg1錠）

B錠1mg　2錠　　分2　　朝夕食後

＊上記のような入力をすると、薬袋などが正しく印刷されない場合があります。そのような場合は、医師の処方どおり入力し、薬袋や薬剤情報提供書などを印刷し、そのあとで調剤報酬請求のルールに則った入力を行い、一部負担金の計算をし、保険請求するとよいでしょう。

　同一有効成分の薬剤が複数処方されている場合は、1章Q018【平成28年4月25日厚生労働省医療課事務連絡「調剤」問2】を参照してください。

 同一の有効成分であって同一剤形の薬剤が複数ある場合は1剤としてまとめるとなっているけど、先発医薬品と後発医薬品であってもまとめなければならないの？

 同一有効成分であって同一剤形の薬剤が複数ある場合は、その数にかかわらず1剤とします。よって、たとえ先発医薬品と後発医薬品が混合して処方されていても、まとめて1剤としなければなりません。

もっと詳しく ━━━━━━━━━━━━━━━━━━━━━━━━━━━━

　同一有効成分の薬剤が複数処方されている場合は、1章Q018【平成28年4月25日厚生労働省医療課事務連絡「調剤」問2】を参照してください。

Q 021 ゼリー剤の薬剤調製料及び調剤管理料は別に取れるの？

 A 経口ゼリー剤は、内服用固形剤ではなく内服用液剤として薬剤調製料及び調剤管理料を算定します。

もっと詳しく ── ── ── ── ── ── ── ── ── ── ──

　経口ゼリー剤は内用液剤として薬剤調製料及び調剤管理料を算定しますが、これは以前、日本薬局方で内用液剤として分類されていたためです（現在は経口ゼリー剤へ区別変更されている）。

　ゼリー剤はほかの内用液剤と配合できないので、ほかの液剤と同時に処方されている場合は、配合不適として薬剤調製料及び調剤管理料を重複算定できます。

　この場合、レセプトの摘要欄に「820100367：調剤技術上の必要性」を入力する必要があります。

チュアブル錠やバッカル剤はほかの内用固形剤とは別に薬剤調製料及び調剤管理料を算定できるの？　OD錠はだめなの？

 内服用固形剤が複数同時に処方され、服用時点が同一であれば1剤として薬剤調製料及び調剤管理料を算定しますが、チュアブル錠または舌下錠等のように服用方法が異なる場合は、内服錠とは別剤としてそれぞれ薬剤調製料及び調剤管理料を算定できます。ただし、口腔内崩壊錠は別剤とはなりません。なお、このように薬剤調製料及び調剤管理料を重複算定する場合、レセプトの摘要欄に、「820100369：服用方法が異なる」を入力しなければなりません。

もっと詳しく

　内服薬（浸煎薬及び湯薬を除き、内服用滴剤以外のもの）についての薬剤調製料及び調剤管理料の算定はそれぞれ「1剤」を所定単位として算定します。

　1回の処方において、2種類以上の内服薬を調剤する場合には、服用時点が同一であるものは、投与日数にかかわらずまとめて1剤として算定します。同一有効成分であって同一剤形の薬剤が複数ある場合は、その数にかかわらずまとめて1剤として算定します。

　ただし、次の場合は、それぞれを別剤として算定できます。
①配合不適等調剤技術上の必要性から個別に調剤した場合
②内服用固形剤（錠剤、カプセル剤、散剤等）と内服用液剤の場合
③内服錠とチュアブル錠または舌下錠等のように服用方法が異なる場合

Q023 漸減投与の薬剤調製料及び調剤管理料はどう計算するの？

A 同じ成分の薬剤を徐々に減量していくような処方（漸減投与）においては、同じ服用方法・服用量毎に入力し、調剤管理料はまとめて通算日数で算定します。

厚生労働省：診療報酬の算定方法の一部改正に伴う実施上の留意事項について（通知）
令和6年3月5日　保医発0305第4号　別添3

もっと詳しく

　同じ成分の薬剤を徐々に減量していく療法を漸減療法といいます。同じように同じ成分の薬剤を徐々に増量していったり、異なる量を交互に服用したりする療法も総称して漸減療法ということもあります。

　同一有効成分であって同一剤形の薬剤が複数ある場合は、その数にかかわらず1剤として算定することになっており、漸減療法の場合、服用日数は、通算した日数で算定し、その算定経緯がわかるようレセプトに記載します。同じ用法のほかの剤の調剤料も同時に算定している場合は、レセプトの摘要欄に、「830100001：その他」を入力し、具体的な理由を記載（例：P錠は漸減療法によるもので、通算した服用日数で調剤管理料を算定）しなければなりません。

入力例

処方		単位薬剤料点数	調剤数量	薬剤調製料 調剤管理料
医薬品名・規格・用量・剤形・用法				
P錠5mg　3錠		＊	3	24
第1～3日目に服用				28
【内服　分3　毎食後服用】				
P錠1mg　6錠		＊	3	0
第4～6日目に服用				0
【内服　分2　朝昼食後服用】				
P錠1mg　3錠		＊	3	0
第7日目以降に服用				0
【内服　分1　朝食後服用】				

Q 024

ラリキシン錠250mg 2錠
　　分2　朝夕食後（月水金土日）　5日分
ラリキシン錠250mg 1錠
　　分1　透析後（火木）　2日分
この場合、それぞれ薬剤調製料及び調剤管理料を算定していいですか？

A

同じ成分、同じ剤形の薬剤なので、まとめて1剤とします。漸減療法と同じように、薬剤調製料は1回、調剤管理料は通算日数で算定します。

厚生労働省：診療報酬の算定方法の一部改正に伴う実施上の留意事項について（通知）
令和6年3月5日　保医発0305第4号　別添3

> **もっと詳しく** ─

　この処方は、同じ成分の薬剤を異なる日に服用しているので、1章Q023で説明する漸減療法と同じ考え方になります。よって、1剤とし調剤管理料は通算日数で計算します。この場合は、1剤7日分として薬剤調製料24点、調剤管理料4点となります。

Q 025

セレスタミンを3日間服用後、ポララミンを4日間服用します。これは漸減療法になる？

A

漸減療法とは、「同じ成分の薬剤」を「投与期間毎に投与量を変更」して投与する療法です。セレスタミンにはポララミンと同じ成分の薬品が混合されていますが、配合剤なので同じ成分の薬剤とはいえません。そのため、漸減療法ではなく、それぞれ薬剤調製料及び調剤管理料を算定することができます。

> **もっと詳しく** ─

　これと同じような事例として、Aという抗生剤を服用後、Bという抗生剤に変更したり、成分の異なるホルモン剤を順次服用したりする場合

があります。成分と服用日が異なれば、それぞれ薬剤調製料及び調剤管理料を算定することができます。漸減療法のように、投与期間をまとめて調剤管理料を算定することのないよう注意しましょう。

粉薬とシロップは、同じ用法でも薬剤調製料及び調剤管理料を重複算定できるの？

内服用固形剤（錠剤・カプセル剤・散剤等）と内服用液剤が同時に処方されていても、別剤としてそれぞれ薬剤調製料及び調剤管理料を算定できます。この場合、レセプトの摘要欄に、「820100368：内服用固形剤と内服用液剤」を入力しなければなりません。

厚生労働省：診療報酬の算定方法の一部改正に伴う実施上の留意事項について（通知）
令和6年3月5日　保医発0305第4号　別添3

もっと詳しく

　内服薬（浸煎薬及び湯薬を除き、内服用滴剤以外のもの）についての薬剤調製料及び調剤管理料の算定はそれぞれ「1剤」を所定単位として算定します。

　1回の処方において、2種類以上の内服薬を調剤する場合には、服用時点が同一であるものは、投与日数にかかわらずまとめて1剤として算定します。また、同一有効成分であって同一剤形の薬剤が複数ある場合は、その数にかかわらずまとめて1剤として算定します。

　ただし、次の場合は、それぞれを別剤として算定できます。
①配合不適等調剤技術上の必要性から個別に調剤した場合
②内服用固形剤（錠剤、カプセル剤、散剤等）と内服用液剤の場合
③内服錠とチュアブル錠または舌下錠等のように服用方法が異なる場合
　なお、ドライシロップは、そのまま散剤として患者に投薬する場合は内服用固形剤として、薬局で溶解して液剤として投薬する場合は内服用液剤として算定します。

Q 027 同じ用法、同じ日数のシロップ剤を２本に分けるように医師から指示があった場合、薬剤調製料及び調剤管理料は両方取れるの？　計量混合調剤加算は？

A 同一用法、同一日数のシロップ剤を２本に分けても、配合不適でない限り、たとえ医師の指示があっても、また患者さんからの希望があった場合でも、薬剤調製料及び調剤管理料を重複算定することはできません。計量混合調剤加算も同様で重複算定できません。

厚生労働省：診療報酬の算定方法の一部改正に伴う実施上の留意事項について（通知）
令和６年３月５日　保医発0305第４号　別添３

> もっと詳しく

　内服薬（浸煎薬及び湯薬を除き、内服用滴剤以外のもの）についての薬剤調製料及び調剤管理料の算定はそれぞれ「１剤」を所定単位として算定します。

　１回の処方において、２種類以上の内服薬を調剤する場合には、服用時点が同一であるものは、投与日数にかかわらずまとめて１剤として算定します。ただし、次の場合は、それぞれを別剤として算定できます。

①配合不適等調剤技術上の必要性から個別に調剤した場合
②内服用固形剤（錠剤、カプセル剤、散剤等）と内服用液剤の場合
③内服錠とチュアブル錠又は舌下錠等のように服用方法が異なる場合

　用法が同じでも、投与日数が異なるために２本に分けて調剤した場合は、薬剤調製料及び調剤管理料は一方しか算定できませんが、計量混合調剤加算は重複算定できます。

POINT
実際の調剤内容がすべて調剤技術料として算定できるわけではありません。算定要件を満たさず、算定できない場合も多々あります。

Q 028 同じ用法の点眼薬が2種類処方されています。これって薬剤調製料は1回算定？ それとも2回算定できるの？

A この2種類の点眼液が異なる成分の点眼液であれば、同じ用法でも2調剤と考え、薬剤調製料は2回算定できます。濃度が異なっていたり、銘柄が異なっていても、同じ有効成分であれば、その数にかかわらず1調剤とし、薬剤調製料は1回のみの算定となります。

厚生労働省：診療報酬の算定方法の一部改正に伴う実施上の留意事項について（通知）
令和6年3月5日　保医発0305第4号　別添3

もっと詳しく

　内服薬は原則として服用時点が同一であるものを1剤として、剤毎に薬剤調製料を算定できます。つまり用法が異なれば、別剤として薬剤調製料を算定できることになります（3剤まで）。

　しかし、外用薬の薬剤調製料を考える場合は、「用法」の観点はありません。同一有効成分で同一剤形の場合1調剤と考え、1調剤につき1回薬剤調製料を算定します（3調剤まで）。

　例えば、フルメトロン点眼液0.02%を1日2回右眼に、フルメトロン点眼液0.1%を1日4回左眼に点眼するような処方の場合、薬剤の濃度や用法が異なっていますが、薬の成分は同じものなので、1調剤となります。また、同じ成分で商品名が異なる外用薬が複数処方される場合もありますので、注意が必要です。

下記のような処方内容の場合、薬剤調製料はそれぞれ算定できますか？

Rp1　モーラステープ20㎎ 14枚
Rp2　モーラスパップ30㎎ 28枚

同一有効成分で同一剤形の外用薬が複数ある場合は、その数にかかわらず1調剤とします。この例の処方の場合、両剤ともケトプロフェンの貼付剤です。しかし、テープ剤とパップ剤は別剤形として取り扱うとされており、2調剤と考え、薬剤調製料をそれぞれ算定することができます。

平成28年4月25日厚生労働省医療課事務連絡「調剤」問2

もっと詳しく ・─・─・─・─・─・─・─・─・─・─・─・─・─・─・─・─・─

　同一有効成分の薬剤が複数処方されている場合、同一剤形とはどの範囲をいうのでしょうか？

　【平成28年4月25日厚生労働省医療課事務連絡「調剤」問2】にその解釈が明確にされています。

> 　圏内服薬と外用薬の調剤料の取り扱いについて、同一の有効成分であって同一剤形の薬剤が複数ある場合は、その数にかかわらず1剤（1調剤）とされているが、「同一剤形」の範囲はどのように考えたらよいか。
>
> 　圏下記の剤形については、それぞれ別剤形として取り扱う。
>
> ●内用薬：省略（4章Q018参照）
>
> ●外用薬
>
> 　軟膏剤、クリーム剤、ローション剤、液剤、スプレー剤、ゼリー、パウダー剤、ゲル剤、吸入粉末剤、吸入液剤、吸入エアゾール剤、点眼剤、眼軟膏、点鼻剤、点耳剤、耳鼻科用吸入剤・噴霧剤、パップ剤、貼付剤、テープ剤、硬膏剤、坐剤、膣剤、注腸剤、口嗽剤、トローチ剤
>
> 　なお、本取り扱いは、内服薬と外用薬に係る調剤料における考え方であり、例えば、調剤時の後発医薬品への変更に関する剤形の範囲の取り扱いとは異なることに留意すること。

Q 030 オテズラ錠の服用方法が複雑すぎて、どのように請求したらよいのかわかりません。

A 同じ成分の薬剤を徐々に増量していくような処方においては、同じ服用方法・服用量毎に入力し、調剤管理料はまとめて通算の日数で算定します。

厚生労働省：診療報酬の算定方法の一部改正に伴う実施上の留意事項について（通知）
令和6年3月5日　保医発0305第4号　別添3

もっと詳しく

　同一有効成分であって同一剤形の薬剤が複数ある場合は、その数にかかわらず1剤として算定することになっており、服用日数は、通算した日数で算定し、その算定経緯がわかるようレセプトに記載します。

入力例

医師番号	処方月日	調剤月日	処方 医薬品名・規格・用量・剤形・用法	単位薬剤料点数	調剤数量	調剤報酬点数 薬剤調製料調剤管理料	薬剤料	加算料
1	5・11	5・11	オテズラ錠10mg　1錠	33	1	24	33	
			第1日目に服用			28		
			【内服　分1　朝食後服用】					
1	5・11	5・11	オテズラ錠10mg　2錠	66	1	0	66	
			第2日目に服用			0		
			【内服　分2　朝夕食後服用】					
1	5・11	5・11	オテズラ錠10mg　1錠	99	1	0	99	
			オテズラ錠20mg　1錠			0		
			第3日目に服用（朝10mg1錠、夕20mg1錠）					
			【内服　分2　朝夕食後服用】					
1	5・11	5・11	オテズラ錠20mg　2錠	132	1	0	132	
			第4日目に服用			0		
			【内服　分2　朝夕食後服用】					
1	5・11	5・11	オテズラ錠20mg　　1錠	165	1	0	165	
			オテズラ錠30mg　　1錠			0		
			第5日目に服用（朝20mg1錠、夕30mg1錠）					
			【内服　分2　朝夕食後服用】					
1	5・11	5・11	オテズラ錠30mg　　2錠	198	9	0	1,782	
			第6日目以降に服用			0		
			【内服　分2　朝夕食後服用】					
摘要			その他（830100001）：オテズラ錠については、独立した1剤として調剤管理料を算定。				※高額 ※公 ※公	

チャンピックス錠が処方されたのですが、処方の入力はどうすればいいの？　また、レセプト摘要欄に必要なコメントなどはありますか？

処方箋にニコチン依存症管理料の算定に伴う処方であることが記載されていれば、健康保険での扱いとなります。摘要欄に「ニコチン依存症管理料の算定に伴う処方である」旨を記載します。また、同じ成分の薬剤を徐々に増量していくような処方においては、同じ服用方法・服用量毎に入力し、調剤管理料はまとめて通算日数で算定します。

厚生労働省：診療報酬の算定方法の一部改正に伴う実施上の留意事項について（通知）
令和6年3月5日　保医発0305第4号　別添3

もっと詳しく

　同一有効成分であって同一剤形の薬剤が複数ある場合は、その数にかかわらず1剤として算定することになっており、服用日数は、通算した日数で算定します（ニコチン依存症管理料の詳細は4章Q010を参照）。

入力例

医師番号	処方月日	調剤月日	処方　医薬品名・規格・用量・剤形・用法	単位薬剤料点数	調剤数量	調剤報酬点数　薬剤調製料 調剤管理料	薬剤料	加算料
1	9・22	9・22	チャンピックス錠0.5mg　1錠	8	3	24	24	
			第1～3日目に服用			28		
			【内服　分1　朝食後服用】					
1	9・22	9・22	チャンピックス錠0.5mg　2錠	15	4	0	60	
			第4～7日目に服用			0		
			【内服　分2　朝夕食後服用】					
1	9・22	9・22	チャンピックス錠1mg　2錠	27	7	0	189	
			第8日目以降に服用			0		
			【内服　分2　朝食後服用】					
摘要	ニコチン依存症管理料の算定に伴う処方である。その他（830100001）：チャンピックス錠については、独立した1剤として調剤管理料を算定。						※高額 ※公 ※公	

2018年４月から、同じ用法で薬剤調製料を両方算定するときに摘要欄に定型文を入れるようになったようですけど、よくわかりません。

 内服薬を別剤として薬剤調製料を算定した場合、以下の４通りの理由から選択して摘要欄に記載しなければなりません。

820100367：調剤技術上の必要性

820100368：内服用固形剤と内服用液剤

820100369：服用方法が異なる

830100001：その他（具体的な理由を記載）

平成30年３月26日保医発0326第５号　「診療報酬請求書等の記載要領等について」等の一部改正について

もっと詳しく ───────────────────────

　具体的にどの事例においてどのコメントを選択するかを以下に示します。

　「820100367：調剤技術上の必要性」は配合不適等の理由から同じ用法の散剤、あるいは水剤を２つに分けて調剤し、薬剤調製料を重複算定した場合に使用します。

　「820100368：内服用固形剤と内服用液剤」は、同じ用法の内服用固形剤（錠剤や散剤など）と内服用液剤（シロップやゼリー剤など）を調剤し、薬剤調製料を重複算定した場合に使用します。

　「820100369：服用方法が異なる」は、同じ用法の内服用固形剤とチュアブル錠や舌下錠等を調剤し、薬剤調製料を重複算定した場合に使用します。

　「830100001：その他（具体的な理由を記載）」は、同じ用法のほかの剤とは別に、漸減療法や交互服用などで、同じ成分で異なる調剤の処方をまとめて、通算日数で調剤管理料を計算した場合等に使用します。このレセプト電算コードを使用する場合は、「その他」のあとに具体的な算定の理由を記載しなければなりません。

　なお、上記摘要欄への記載については「診療報酬請求書等の記載要領等について」に定められているものであり、記載がない場合は、返戻、査定の対象になる場合があるので、注意しましょう。

　また、電子請求の場合は、単にコメントを入力するのではなく、定められたレセプト電算コードによって請求する必要があります。不明の場合、詳細はレセコン販売会社に確認してください。

ゾフルーザは内服薬？　それとも屯服薬？

ゾフルーザは、症状が出たときに臨時的に服用する薬ではありません。なるべく早めに服用してほしい薬です。よって、屯服ではなく、内服薬として1日1回、1日分として算定します。

もっと詳しく

　屯服とは、症状に応じて必要なときに臨時的に、対症療法として薬を1回飲むことをいいます。処方箋を見たときに、指示された用法が定時的に服用するものでなく、必要なときに臨時的に服用するよう指示があり、用量が1回量を単位としたものは屯服であると判断されます。

　では、ゾフルーザ錠（インフルエンザの治療薬で、1回だけ服用すればよい薬剤）の場合はどうでしょうか？　「ゾフルーザ錠20mg2錠1回分」といった記載の処方箋をよく目にしますが、すでにこの患者さんはインフルエンザに感染しており、なるべく早く服用しなければなりません。症状が出たときに服用する薬ではなく、服用時点を特定せずにすぐに服用する薬なので、屯服ではなく、内服薬として1日1回、1日分の調剤管理料を算定します。

「3錠分3毎食後（かゆいとき）」、このような用法は内服薬？ それとも屯服薬？

 「毎食後に服用しますが、かゆみがなければ服用しなくてよい」といった意味合いで処方されているものと思われます。内服薬で算定し、患者さんに症状が治まった場合の対応をしっかり伝えるべきでしょう。

もっと詳しく

　まずは、処方箋がどのように書かれているかを見てみましょう。服用時点が毎食後のように定時的な指示がある「1日3回毎食後、1回＊錠、＊日分」といった記載であれば、基本的に内服と判断します。

　定時的に服用する指示がなく「1回＊錠、＊回分」といった記載であれば屯服と判断します。屯服とは、症状に応じて必要なときに臨時的に、対症療法として薬を飲むことをいいます。

　ただし、どちらか判断できない場合は、勝手に判断することなく、薬剤師から医師に疑義照会してもらいましょう。

 イメンドカプセルセットを保険請求したら、返戻されてしまいました。なぜでしょうか？

 イメンドカプセルは、シート製剤が販売されており、シート単位で薬価収載もされていますが、シート単位で保険請求をすることはできません。個々の薬剤を入力し、通算日数を3日分として調剤管理料を算定します（平成24年6月22日保医発0622第3号）。

もっと詳しく

　イメンドカプセルは、飲み間違えのないように複数の規格の製剤がセ

ットになっている商品が販売されています。薬価も1セットでの請求額が示されています。同じような販売形態としてピロリ菌除菌療法のラベキュアパックなどがありますが、ラベキュアパックなどでは、保険請求する際にシート単位で入力して薬剤料を計算します。しかし、イメンドカプセルはシート単位で入力せずに、個々の薬剤毎に入力し、まとめて1剤として3日分の保険請求をするよう求められています（平成24年6月22日保医発0622第3号）。

なお、通算日数で調剤管理料を算定したことがわかるようレセプトに記載し、同じ用法の他の剤の調剤管理料も同時に算定している場合は、レセプトの摘要欄に、「830100001：その他」を入力し、具体的な理由を記載（例：P錠は漸減療法によるもので、通算した服用日数で調剤管理料を算定）しなければなりません。

ヤーズ配合錠は28錠中、薬が入っていない錠剤が4錠混ざっているらしいけど、この4錠も保険請求していいの？

ヤーズ配合錠の調剤管理料は、薬の成分が入っていない錠剤も含めて28日分の内服薬として計算します。
平成22年9月17日保医発第0917第1号　薬価基準の一部改正に伴う留意事項について

もっと詳しく

ヤーズ配合錠は薬価基準には1シートの薬価が収載されていますが、これを1錠単位に計算し直し、1日1回1錠28日分として計算します。ヤーズ配合錠の保険請求については、【平成22年9月17日保医発第0917第1号薬価基準の一部改正に伴う留意事項について】に詳しく記載されています。

薬価基準の一部改正に伴う留意事項について（平成22年9月17日保医発第0917第1号）

（1）ヤーズ配合錠

①　本製剤の効能・効果は、「月経困難症」であること。

②　本製剤が避妊の目的で処方された場合には、保険給付の対象とはしないこと。

③本製剤は1シートに有効成分を含有する錠剤（実薬錠）を24錠及び有効成分を含有しない錠剤（プラセボ錠）を4錠、合計28錠を含む製剤であり、その用法・用量から、原則、シートの形態で処方されるものであるため、実薬錠及びプラセボ錠の区別なく、本製剤1錠を175.41円（薬価は2024年4月時点のもの）として、以下に示す例を参考に請求を行うこと。

例 ヤーズ配合錠　1錠　分1　28日分

ファンギゾンシロップを「うがい」で使用。これって外用？フロリードゲル経口用はどうなの？

ファンギゾンシロップもフロリードゲル経口用も内用薬として薬価収載されています。両剤とも内服薬として算定します。

もっと詳しく

　ファンギゾンシロップやフロリードゲル経口用は、口腔カンジダ症（真菌による口のなかの感染症）に使用することがあり、口内にしばらく含んでから吐き出したり、その薬剤でうがいをするような用法が医師から出されることがあります。

　このような用法の場合、一般的には外用薬と考えますが、ファンギゾンシロップとフロリードゲル経口用は、内用薬として薬価収載されているので、内服薬として算定します。

　処方箋の記載が、外用薬と同じ全量表示の場合もありますが、全体の投与量を投与日数で除して1日量を算定し、通常の内服薬と同じように1日量×日数で薬剤料、調剤管理料を算定します。

処方箋の記載では用法がはっきりしない場合は、薬剤師を通して処方医に疑義照会してもらいましょう。

「生理食塩液」が「粘膜部位の洗浄」を目的として処方されています。薬価本を見ると「生理食塩液」は「注射薬」に分類されています。「外用」で請求することはできますか？

生理食塩液は薬価本では「注射薬」に分類されていますが、添付文書を見ると、「注射薬」としても「外用薬」としても使用することが認められています。生理食塩液を外用薬として投薬する場合、レセコンの薬品マスタの剤形区分を「外用」に変更して請求します。

もっと詳しく

医療用の医薬品は「内用薬」「注射薬」「外用薬」に分類されています。ところが、医薬品の添付文書の「用法及び用量」の欄を見ると、「注射」と「外用」の両方の使用法が認められていたり、「注射」と「内用」の両方の使用法が認められているものがあります。

このような薬剤は、レセコンの剤形区分を「注射」から「外用」に変更して処方入力を行います。レセコンによっては「注射」に分類したうえで、「内用薬・外用薬として両用可」といったチェックボックスが設けられていて、そこにチェックを入れると、内用薬や外用薬として入力できるようになる機種もあります。設定の方法はレセコンによって異なるので、詳しくはレセコン販売会社に確認してください。

Q 039 高カロリー輸液に入れるビタミン剤は、院外処方箋で処方できるの？

A 在宅中心静脈栄養法に用いる高カロリー輸液は、処方箋によって調剤することが認められています。また、高カロリー輸液以外にビタミン剤、高カロリー輸液用微量元素製剤および血液凝固阻止剤も同様に認められています。なお、下記「もっと詳しく」の「イ」に記載されている薬剤のうち、処方医及び保険薬剤師の医学薬学的な判断に基づき適当と認められるものについて、在宅中心静脈栄養法用輸液に添加して投与することも認められています。

厚生労働省：診療報酬の算定方法の一部改正に伴う実施上の留意事項について（通知）
令和6年3月5日　保医発0305第4号　別添3

もっと詳しく

　具体的な処方できる薬剤の種類やその考え方については、以下のように規定されています。

> ●厚生労働省：診療報酬の算定方法の一部改正に伴う実施上の留意事項について（通知）　令和6年3月5日　保医発0305第4号　別添3
> 　イ　注射薬のうち支給できるものは、在宅医療における自己注射等のために投与される薬剤
> ■インスリン製剤　■ヒト成長ホルモン剤
> ■遺伝子組み換え活性型血液凝固第Ⅶ因子製剤
> ■遺伝子組換え型血液凝固第Ⅷ因子製剤
> ■乾燥濃縮人血液凝固第Ⅹ因子加活性化第Ⅶ因子製剤
> ■乾燥人血液凝固第Ⅷ因子製剤
> ■遺伝子組み換え型血液凝固第Ⅸ因子製剤
> ■乾燥人血液凝固第Ⅸ因子製剤　■活性化プロトロンビン複合体
> ■乾燥人血液凝固因子抗体迂回活性複合体
> ■自己連続携行式腹膜灌流用灌流液
> ■在宅中心静脈栄養法用輸液

- 性腺刺激ホルモン放出ホルモン剤　■ 性腺刺激ホルモン製剤
- ゴナドトロピン放出ホルモン誘導体
- ソマトスタチンアナログ　■ 顆粒球コロニー形成刺激因子製剤
- インターフェロンアルファ製剤
- インターフェロンベータ製剤　■ ブプレノルフィン製剤
- 抗悪性腫瘍剤　■ グルカゴン製剤
- グルカゴン様ペプチド−1受容体アゴニスト
- ヒトソマトメジンC製剤　■ 人工腎臓用透析液
- 血液凝固阻止剤　■ 生理食塩水　■ プロスタグランジンI_2製剤
- モルヒネ塩酸塩製剤　■ エタネルセプト製剤　■ 注射用水
- ペグビソマント製剤　■ スマトリプタン製剤
- フェンタニルクエン酸塩製剤　■ 複方オキシコドン製剤
- オキシコドン塩酸塩製剤
- ベタメタゾンリン酸エステルナトリウム製剤
- デキサメタゾンリン酸エステルナトリウム製剤
- デキサメタゾンメタスルホ安息香酸エステルナトリウム製剤
- プロトンポンプ阻害剤　■ H_2遮断剤
- カルバゾクロムスルホン酸ナトリウム製剤
- トラネキサム酸製剤　■ フルルビプロフェンアキセチル製剤
- メトクロプラミド製剤　■ プロクロルペラジン製剤
- ブチルスコポラミン臭化物製剤
- グリチルリチン酸モノアンモニウム・グリシン・L-システイン塩酸塩配合剤
- アダリムマブ製剤　■ エリスロポエチン　■ ダルベポエチン
- テリパラチド製剤　■ アドレナリン製剤
- ヘパリンカルシウム製剤
- アポモルヒネ塩酸塩製剤及びセルトリズマブペゴル製剤
- トシリズマブ製剤　■ メトレレプチン製剤
- アバタセプト製剤
- pH4処理酸性人免疫グロブリン（皮下注射）製剤　■ 電解質製剤
- 注射用抗菌薬　■ エダラボン製剤

- アスホターゼアルファ製剤　■グラチラマー酢酸塩製剤
- 脂肪乳剤　■セクキヌマブ製剤　■エボロクマブ製剤
- ブロダルマブ製剤　■アリロクマブ製剤　■ベリムマブ製剤
- イキセキズマブ製剤　■ゴリムマブ製剤　■エミシズマブ製剤
- イカチバント製剤　■サリルマブ製剤　■デュピルマブ製剤
- ヒドロモルフォン塩酸塩製剤
- インスリン・グルカゴン様ペプチド－1受容体アゴニスト配合剤
- ヒドロコルチゾンコハク酸エステルナトリウム製剤
- 遺伝子組換えヒトvon Willebrand因子製剤
- ブロスマブ製剤　■アガルシダーゼアルファ製剤
- アガルシダーゼベータ製剤
- アルグルコシダーゼアルファ製剤
- イデュルスルファーゼ製剤　■イミグルセラーゼ製剤
- エロスルファーゼアルファ製剤　■ガルスルファーゼ製剤
- セベリパーゼアルファ製剤　■ベラグルセラーゼアルファ製剤
- ラロニダーゼ製剤　■メポリズマブ製剤　■オマリズマブ製剤
- テデュグルチド製剤　■サトラリズマブ製剤
- ビルトラルセン製剤　■レムデシビル製剤
- ガルカネズマブ製剤　■オファツムマブ製剤
- ボソリチド製剤　■エレヌマブ製剤
- アバロパラチド酢酸塩製剤　■カプラシズマブ製剤
- 濃縮乾燥人 C1-インアクチベーター製剤
- フレマネズマブ製剤　■メトトレキサート製剤
- チルゼパチド製剤　■ビメキズマブ製剤
- ホスレボドパ　■ホスカルビドパ水和物配合剤
- ペグバリアーゼ製剤　■パビナフスプ アルファ製剤
- アバルグルコシダーゼ アルファ製剤　■ラナデルマブ製剤
- ネモリズマブ製剤　■ペグセタコプラン製剤
- ジルコプランナトリウム製剤　■コンシズマブ製剤
- テゼペルマブ製剤

に限る（2024年3月29日現在）

　なお、「モルヒネ塩酸塩製剤」、「フェンタニルクエン酸塩製剤」、「複方オキシコドン製剤」、「オキシコドン塩酸塩製剤」及び「ヒドロモルフォン塩酸塩製剤」は、薬液が取り出せない構造で、かつ患者等が注入速度を変えることができない注入ポンプ等に、必要に応じて生理食塩水等で希釈の上充填して交付した場合に限る。ただし、患者又はその家族等の意を受け、かつ、これらの麻薬である注射薬の処方医の指示を受けた看護師が、患家に当該注射薬を持参し、患者の施用を補助する場合又は保険薬局の保険薬剤師が、患家に麻薬である注射薬を持参し、当該注射薬の処方医の指示を受けた看護師に手渡す場合は、この限りでない。

　ウ　イの「在宅中心静脈栄養法用輸液」とは、高カロリー輸液をいい、高カロリー輸液以外にビタミン剤、高カロリー輸液用微量元素製剤及び血液凝固阻止剤を投与することができる。
　なお、上記イに掲げる薬剤のうち、処方医及び保険薬剤師の医学薬学的な判断に基づき適当と認められるものについて、在宅中心静脈栄養法用輸液に添加して投与することは差し支えない。

　エ　イの「電解質製剤」とは、経口摂取不能又は不十分な場合の水分・電解質の補給・維持を目的とした注射薬（高カロリー輸液を除く）をいい、電解質製剤以外に電解質補正製剤（電解質製剤に添加して投与する注射薬に限る）、ビタミン剤、高カロリー輸液用微量元素製剤及び血液凝固阻止剤を投与することができる。

　オ　イの「注射用抗菌薬」とは、病原体に殺菌的又は静菌的に作用する注射薬をいう。

Q 040 検査薬が処方されましたが、保険請求できるの？

A 治療目的ではなく、検査のために使用する薬剤は、院外処方箋にはなじみません。医療機関で投薬してもらうよう依頼すべきです。しかしながら、すでに処方箋が発行されており、やむを得ず保険薬局で調剤せざるを得ない場合、「薬剤料」のみの算定が認められています。

もっと詳しく

　処置、検査、手術等において医療機関内で使用する薬剤は院外処方箋で処方するものではありません。また、検査のために医療機関外で服用・使用する薬剤においても、原則として医療機関が準備して患者さんに投薬すべきものです。

　しかしながら、すでに処方箋が発行されており、やむを得ず保険薬局で調剤せざるを得ない場合は、「薬剤料」のみの算定が認められるとされています。「調剤技術料」「薬学管理料」は算定できません。

　医科の診療報酬点数においても、「検査に当たって施用した薬剤の費用は別に算定できるが、第2章第5部投薬の部に掲げる処方料、調剤料、処方箋料及び調剤技術基本料並びに同第6部注射の部に掲げる注射料は、別に算定できない」とされています（厚生労働省：診療報酬の算定方法の一部改正に伴う実施上の留意事項について（通知）令和6年3月5日保医発0305第4号　別添1　第3部検査　＜通則＞2項）。

薬剤調製料の加算

時間外等加算

Q
041

「夜間・休日等加算」は、どのような場合に算定できるの？

A

「夜間・休日等加算」は、開局時間内であって、かつ要件に規定されている時間帯（平日は午後7時から午前8時、土曜日は午後1時から午前8時、休日は終日）において調剤を行った場合に算定できます。

厚生労働省：診療報酬の算定方法の一部改正に伴う実施上の留意事項について（通知）
令和6年3月5日　保医発0305第4号　別添3

もっと詳しく

　日曜日や祝日を通常の営業日としている薬局は、終日夜間・休日等加算を算定できます。

　同様に、12月29日から1月3日は休日加算算定可能な休日とされていますが、この期間に通常営業した場合も、夜間・休日等加算を算定可能です。

　夜間・休日等加算を算定する保険薬局は開局時間を当該薬局の内側及び外側のわかりやすい場所に表示するとともに、夜間・休日等加算の対象となる日及び受付時間帯を薬局内のわかりやすい場所に掲示する必要があります。

　また、平日または土曜日に夜間・休日等加算を算定する患者さんについては、処方箋の受付時間を当該患者の薬剤服用歴の記録または調剤録に記録することが定められています。

　夜間・休日等加算においては、レセプトに受付時間の記載義務はありませんが、平日や土曜日に算定した場合は、算定根拠を明確にするために、摘要欄に受付日時を記載したほうがよいでしょう。

Q 042 「休日加算」はどのような場合に算定できるの？

A 「休日加算」の対象となる休日とは、日曜日及び国民の祝日（振替休日を含む）です。なお、12月29日から1月3日も対象の休日として扱うとされています。「休日加算」は、これらの休日を開局しないこととしている保険薬局で、急病等やむを得ない理由により調剤を行った場合に算定できます（これらの休日に開局している薬局においても、開局時間以外の時間に調剤を行った場合は算定できる）。

厚生労働省：診療報酬の算定方法の一部改正に伴う実施上の留意事項について（通知）
令和6年3月5日　保医発0305第4号　別添3

もっと詳しく

　「休日加算」は、あくまでも薬局が閉局している休日に調剤を行った場合に算定できるものであり、休日を開局日としている薬局における開局時間内の調剤においては算定できません。この場合は「夜間・休日等加算」の算定となります。

　ただし、休日における救急医療の確保のために調剤を行っている薬局（休日急患センターの薬局等）においては、常態として開局していても「休日加算」を算定できます。また、地方公共団体等が認めて一般市民に広報されている輪番制の薬局においても同様に算定が認められています。さらに、令和6年度改定より感染症対応等の一環として地域の行政機関の要請を受けて休日に開局している薬局も算定可能となりました。

　近隣の医療機関が休日に診療を行うので、薬局も開局したといった事例では「休日加算」の算定は認められません。

「時間外加算」はどのような場合に算定できるの？

A 「時間外加算」は開局時間以外の時間（深夜（午後10時から午前6時まで）及び休日を除く）において調剤を行った場合に算定できます。また、日曜祝日以外の日を休みとしている薬局において、その平日の定休日に調剤を行った場合も算定できます。

厚生労働省：診療報酬の算定方法の一部改正に伴う実施上の留意事項について（通知）
令和6年3月5日　保医発0305第4号　別添3

もっと詳しく

　「時間外加算」は、あくまでも薬局が閉局している時間（各都道府県における保険薬局の開局時間の実態、患者さんの来局上の便宜等を考慮して、一定の時間以外の時間をもって時間外として取り扱うこととし、その標準は、概ね午前6時以降午前8時前と午後6時以降午後10時前及び休日加算の対象となる休日以外の日を終日休業日とする保険薬局における当該休業日）に調剤を行った場合に算定できるものであり、開局時間内の調剤においては算定できません。

　ただし、上記時間帯であっても、当該保険薬局が常態として調剤応需の態勢をとり、開局時間内と同様な取り扱いで調剤を行っているときは、時間外加算の算定はできません。つまり、調剤の準備を整えて薬剤師が店で患者さんを待っているような状態では、時間外加算は算定できないということです。

　ただし、国または地方公共団体等が開設に係わった夜間等における救急医療の確保のために調剤を行っている薬局（休日急患センターの薬局等）においては、常態として開局していても「時間外加算」(時間外加算の特例)を算定できます。

「夜間・休日等加算」「休日加算」「時間外加算」「深夜加算」が算定できる時間帯を教えてください。

 夜間・休日等加算（開局時）
　　平日：午前０時〜午前８時、午後７時〜午後12時（午前０時）
　　土曜日：午前０時〜午前８時、
　　　　　　午後１時〜午後12時（午前０時）
　　日曜日、祝日、年末年始（12/29〜1/3）の営業は
　　１日中算定可
　時間外加算（閉局時間帯）
　　概ね午前６時〜午前８時、午後６時〜午後10時
　　休日以外の日を終日休業日とする薬局の当該休業日
　休日加算（閉局日）
　　日曜日、祝日、年末年始（12/29〜1/3）
　深夜加算（閉局時間帯）
　　午後10時から午前６時までの間
厚生労働省：診療報酬の算定方法の一部改正に伴う実施上の留意事項について（通知）
令和６年３月５日　保医発0305第４号　別添３

もっと詳しく

　「夜間・休日等加算」「時間外加算」「深夜加算」を算定した場合は、処方箋の受付時間を当該患者の薬剤服用歴または調剤録に記録しなければなりません。
　レセコンによっては、これらの加算を算定すると自動的に記録されるものもあります。自薬局のシステムを確認しておいてください。
　また、「時間外加算」「休日加算」「深夜加算」を算定した場合は、保険請求するにあたって調剤報酬明細書（レセプト）の「摘要」欄に、次のようなレセプト電算処理システム用コード及び処方箋を受け付けた年月日及び受付時刻を入力しなければなりません。
■時間外加算　850100366　処方箋受付年月日
　　　　　　　851100035　処方箋受付時刻
■休日加算　850100367　処方箋受付年月日

- ■ 深夜加算　　850100368　処方箋受付年月日
　　　　　　　　851100036　処方箋受付時刻
- ■ 時間外加算の特例（公的な急患センターの薬局など）
　　　　　　　　850100369　処方箋受付年月日
　　　　　　　　851100037　処方箋受付時刻

 土曜日は午前中しか営業していない薬局です。午後3時に急病の患者のために薬局を開け、臨時で調剤した場合、「時間外加算」は算定できますか？

 残念ながら、午前中営業していた場合、午後3時に調剤しても時間外加算は算定できません。

厚生労働省：診療報酬の算定方法の一部改正に伴う実施上の留意事項について（通知）
令和6年3月5日　保医発0305第4号　別添3

もっと詳しく

　時間外加算は、閉局時における概ね午前6時〜午前8時、午後6時〜午後10時、および休日以外の日を終日休業日とする薬局の当該休業日となっています。

　もし、土曜日を終日休業日としている薬局であれば、午前6時から午後10時の時間帯に臨時に調剤を行った場合、時間外加算を算定できます。しかし、たとえ短時間でも土曜日に営業している場合、「午前6時〜午前8時、午後6時〜午後10時」以外の閉局時間に時間外加算を算定することはできません（午後10時から午前6時までの閉局時には深夜加算を算定できます）。

　土曜日は午前中のみ営業している薬局の場合、午後1時から午後6時に臨時開局した場合、夜間・休日等加算が算定可能です。

在宅薬学総合体制加算

届出を提出すれば、在宅訪問指導を行っている患者さんには、医療保険、介護保険問わず、毎回「在宅薬学総合体制加算」を算定できますか？

在宅患者訪問薬剤管理指導料、在宅患者緊急訪問薬剤管理指導料、在宅患者緊急時等共同指導料、または介護保険における居宅療養管理指導費、介護予防居宅療養管理指導費が算定されている患者の場合、処方箋受付時（調剤時）に毎回「在宅薬学総合体制加算」を算定することができます。

厚生労働省：診療報酬の算定方法の一部改正に伴う実施上の留意事項について（通知）
令和6年3月5日　保医発0305第4号　別添3

もっと詳しく

当該患者の薬学的管理指導計画に係る疾病と別の疾病または負傷に係る臨時の投薬が行われた場合も、在宅薬学総合体制加算は算定できます。

麻薬等加算

「麻薬、向精神薬、覚醒剤原料又は毒薬加算」は、1回の受付で何回も算定していいの？

「麻薬、向精神薬、覚醒剤原料又は毒薬加算」は、1調剤につき1回算定できます。薬剤調製料のような算定回数制限はないので、何回でも算定でき、薬剤調製料を算定していない剤においても算定できます。

厚生労働省：診療報酬の算定方法の一部改正に伴う実施上の留意事項について（通知）
令和6年3月5日　保医発0305第4号　別添3

もっと詳しく

「麻薬、向精神薬、覚醒剤原料又は毒薬加算」は、1調剤につき1回算

定できるので、複数の薬剤が処方されていて、同じ用法であっても日数が異なれば、複数回算定できます。

　重複した規制を受けている薬剤については、当該薬剤が麻薬である場合は1調剤につき70点を算定し、それ以外の場合は1調剤につき8点を算定します。1調剤において麻薬、向精神薬、覚醒剤原料または毒薬加算を重複して算定することはできません。

　内服薬と外用薬の薬剤調製料の取り扱いについて、同一の有効成分であって同一剤形の薬剤が複数ある場合は、その数にかかわらず1剤（1調剤）とされているので、基本的に同じ成分、同じ剤形の薬剤が複数あった場合は、1つにまとめて算定します。

　これらの加算は、内服薬のほか、屯服薬、注射薬、外用薬についても算定できます。

　通常は、レセコンが自動的に算定してくれますので、入力の際に意識する必要はないと思われます。注意しなければならないのは、過算定です。例えば、フェントステープ1mgと2mgが同時に処方されている場合、処方どおり入力していくと麻薬加算が2回算定されてしまいます。また、用量の異なるプラケニル錠200mgを交互に服用する場合、毒薬加算が2回算定されてしまいます。このような処方の場合、片方の加算を削除するなどの対応が必要となってきます。

自家製剤加算

Q 048 割線がない錠剤を分割しても自家製剤加算が算定できるの？

A 令和4年度改定から錠剤の分割において、従来明記されていた「割線のある」の文言が消去されました。よって、割線の有無にかかわらず医師の指示にて錠剤を分割した場合は自家製剤加算を算定できることになります。ただし、分割してよい錠剤と分割できない錠剤、してはいけない錠剤があります。算定の際には、必ず分割の可否を薬剤師に確認しましょう。

厚生労働省：診療報酬の算定方法の一部改正に伴う実施上の留意事項について（通知）
令和6年3月5日　保医発0305第4号　別添3

もっと詳しく

　令和3年度までは、自家製剤加算における錠剤の分割については「割線のある錠剤を医師の指示に基づき分割した場合は」と明示されていましたが、令和4年度の改定で、この「割線のある」の文言が消去されました。よって、割線の有無にかかわらず医師の指示にて錠剤を分割した場合は自家製剤加算を算定できることになります。

　ただし、どのような錠剤でも分割してよいというわけではありません。「自家製剤は、医薬品の特性を十分理解し、薬学的に問題ないと判断される場合に限り行うこと」と記載されているとおり、吸湿性のある錠剤や分割により薬物の吸収に問題が生じるおそれがある錠剤など、薬学的に問題のある錠剤については疑義照会を行い、分割以外の対応を検討する必要があります。

　なお、錠剤を分割する場合は、予製剤でなくても通常の自家製剤加算の100分の20を算定しなければなりません。つまり、錠剤の分割においては、予製していても、その場で調剤しても同じ点数となります。

● 自家製剤加算

　キ　「錠剤を分割する場合」とは、医師の指示に基づき錠剤を分割することをいう。ただし、分割した医薬品と同一規格を有する医

薬品が薬価基準に収載されている場合は算定できない。

　　サ　自家製剤は、医薬品の特性を十分理解し、薬学的に問題ない
と判断される場合に限り行うこと。

 **算定項目に「嚥下困難者用製剤加算」がありません。削除され
てしまったの？**

 令和6年度改定から嚥下困難者用製剤加算が廃止され、飲みや
すくするための製剤上の調製を行った場合の評価が自家製剤加
算に一本化されました。

もっと詳しく

　従来、錠剤を飲めない患者さんのために錠剤を粉砕した場合、嚥下困
難者用製剤加算を算定していました。しかし、錠剤を粉砕するという行
為に対しては、嚥下困難者用製剤加算のほかに自家製剤加算もあり、ど
ちらを算定するのか判断に迷う事例も多々ありました。

　令和6年度改定において、嚥下困難者用製剤加算が廃止され、錠剤を
粉砕する行為は自家製剤加算のみとされました。これによって、錠剤を
粉砕した場合にどの点数を算定すべきか迷うことが減少すると思われま
す。なお、嚥下困難者用製剤加算は処方箋1枚につき1回のみの算定と
されていましたが、自家製剤加算は1調剤毎に算定可となります。

　錠剤を粉砕し自家製剤加算を算定するにあたっては、「粉砕しなけれ
ば医師の処方通りに調剤できない場合」あるいは「錠剤のままでは服用
が困難である場合」であり、同じ成分の散剤が薬価収載されていないこ
とが必要です（薬価収載されているにも拘わらず供給上の問題で入手不
可の薬剤を自家製剤する場合も算定可）。

無菌製剤処理加算

Q 050 麻薬の注射剤をカートリッジに詰めるだけで、ほかの薬剤と混合するわけではないけど、「無菌製剤処理加算」は算定できるの?

A 令和6年度改定から麻薬注射剤の場合に限り混合や希釈をせずにそのまま無菌的に充填し製剤する場合も「無菌製剤処理加算」が算定できるようになりました。

厚生労働省：診療報酬の算定方法の一部改正に伴う実施上の留意事項について（通知）
令和6年3月5日　保医発0305第4号　別添3

もっと詳しく

　従来は、2以上の注射剤を無菌的に混合して（麻薬の場合は希釈を含む）、中心静脈栄養法輸液、抗悪性腫瘍剤又は麻薬を製剤した場合に無菌製剤処理加算が算定できることとされていました。

　令和6年度改定において麻薬注射剤を無菌的に充填し製剤する場合も無菌製剤処理加算を算定できることとなりました。

　無菌製剤処理加算を算定するにあたっては、無菌製剤処理加算の施設基準を満たす（厚生局に届出）などの算定要件は従来と変更されていません。

　抗悪性腫瘍剤単剤を無菌的に充填しても加算の対象ではありませんので注意してください。

計量混合調剤加算

Q 051 同じA軟膏とB軟膏の混合指示ですが、配合割合が違う2種類の製剤が同時に処方されています。薬剤調製料は？　計量混合調剤加算はどうすればいいの？

A 計量混合した薬剤が同じ成分であっても、できあがった製剤の成分比が異なっていれば、薬剤調製料、計量混合調剤加算ともに両方の製剤で算定できます。

平成28年4月25日厚生労働省保険局医療課　平成28年度診療報酬改定に係る疑義解釈資料（その2）

もっと詳しく

具体的には、以下のような処方の場合です。

処方例

Rp.1　A軟膏 10g
　　　　B軟膏 20g　┐混合

Rp.2　A軟膏 20g
　　　　B軟膏 20g　┐混合

POINT
同じ成分でもできあがった薬剤の剤形が異なっていたり、成分比が異なっていれば、別の薬剤と考えることができます。

薬学管理料

服薬管理指導料

Q 052 スマートフォンのアプリでお薬を管理している患者さんがいるけど、お薬手帳として認められるの？

A お薬手帳（電子版）には、さまざまな運用上の留意事項が設けられており、これらを満たしたものであれば、紙媒体のお薬手帳と同様の取り扱いとなります。ただし、患者さんが電子お薬手帳を使っていれば手帳を持参した点数を算定できるわけではありません。手帳に記録されている併用薬等の内容を薬剤師が直接確認する必要があります。

調剤報酬点数表の解釈　第2節　薬学管理料　薬剤服用歴管理指導料（16）、お薬手帳（電子版）の運用上の留意事項について（平成27年11月27日薬生総発1127 4）

もっと詳しく

　紙のお薬手帳、電子お薬手帳の何れの場合でも、患者さんがお薬手帳を持参した場合は、その記録内容を薬剤師が直接確認すると同時に、「調剤年月日」「薬品情報」「用法情報」、その他必要な情報を患者さんのお薬手帳に提供しなければなりません。薬局のシステム上、患者さんのお薬手帳に直接情報を提供することができない場合は、薬局は少なくとも2次元コードにて情報を出力し、患者さん自身がその2次元コードを使用して電子お薬手帳に登録することになります（6章Q014参照）。

　お薬手帳の内容を確認できなければ、服薬管理指導料1を算定することはできません。以前の薬剤服用歴管理指導料においては、「手帳を持参していないもの」という記述でしたが、現在の服薬管理指導料においては「手帳を提示しないもの」と表現が変更されています。手帳を持参していても、薬剤師に提示しなかったり、システムの問題から電子お薬手帳の内容を確認できない場合は、服薬管理指導料2を算定することになります。

> ＊服薬管理指導料　注1（抜粋）
> 1及び2については、患者に対して、次に掲げる指導等の全てを行った場合に、処方箋受付1回につき所定点数を算定する。ただし、1の患者であって手帳を提示しないものに対して、次に掲げる指導等の全てを行った場合は、2により算定する。

麻薬管理指導加算

「麻薬管理指導加算」はどういうときに算定する加算ですか？

麻薬管理指導加算は、麻薬を調剤し、その服用状況や保管の状況、副作用の有無などについて患者さんに確認し、薬学的管理及び指導を行った場合に算定できる点数です。麻薬が処方されていれば算定できるといった点数ではありません。

厚生労働省：診療報酬の算定方法の一部改正に伴う実施上の留意事項について（通知）
令和6年3月5日　保医発0305第4号　別添3

もっと詳しく

　「麻薬管理指導加算は、当該患者又はその家族等に対して、電話等により定期的に、投与される麻薬の服用状況、残薬の状況及び保管状況について確認し、残薬の適切な取扱方法も含めた保管取扱い上の注意等に関し必要な指導を行うとともに、麻薬による鎮痛等の効果や患者の服薬中の体調変化（副作用が疑われる症状など）の有無の確認を行い、必要な薬学的管理指導を行った場合に算定する」とされています。薬剤調製料の麻薬加算のように麻薬が処方されていれば全例に算定できるものではありません。

　薬剤師が服薬指導を終了したあとで、これらの算定要件を満たした服薬指導ができたと判断した場合に算定します。服薬指導を行う前に算定するものではありません。

重複投薬・相互作用等防止加算

Q 054

重複投薬・相互作用等防止加算は、どういうときに算定できる加算ですか？

A

薬剤師が処方医に疑義照会を行い、処方内容が変更されたり、残薬があり医師に確認をとって処方の減量または中止を行った場合に算定できます。ただし、すべての疑義照会事例において算定できるものではありません。処方内容及び疑義照会の経緯、処方変更の実態を総合的に判断したうえで、薬剤師が算定の可否を判断するものです。

厚生労働省：診療報酬の算定方法の一部改正に伴う実施上の留意事項について（通知）
令和6年3月5日　保医発0305第4号　別添3

もっと詳しく

　重複投薬・相互作用等防止加算は、重複投薬、相互作用の防止等の目的で、薬剤服用歴等、または患者及びその家族等からの情報等に基づき、処方医に対して連絡・確認を行い、**処方の変更**が行われた場合に算定できます。

イ　残薬調整に係るもの以外の場合　40点
　　①併用薬との重複投薬（薬理作用が類似する場合を含む）
　　②併用薬、飲食物等との相互作用
　　③そのほか薬学的観点から必要と認める事項

ロ　残薬調整に係るものの場合　20点

　複数の項目に該当した場合であっても、重複して算定することはできません。

　処方の変更が行われた場合にのみ算定できます。疑義照会を行っても処方内容の確認のみで、変更が行われなかった場合には算定できません。同時に複数の処方箋を受け付け、複数の処方箋について変更が行われた場合であっても、算定は1回のみとなります。

Q 055 疑義照会により薬剤が増えてしまった場合でも重複投薬・相互作用等防止加算のロ（残薬調整）が算定できるのでしょうか？

A 重複投薬・相互作用等防止加算における「残薬調整（20点）」は、疑義照会により処方が削除となったり、処方日数や投与回数が減少した場合に算定できるものです。薬剤が追加されたり、投与期間が延長されたりした場合は、その変更の理由が薬学的観点から必要と認められるものであれば、「残薬調整以外の場合（40点）」を算定できます。

平成28年3月31日医事課事務連絡「調剤」問31

特定薬剤管理指導加算1及び2・乳幼児服薬指導加算

Q 056 特定薬剤管理指導加算1（ハイリスク加算）は、算定方法が変わったの？

A 従来は、特定薬剤管理指導加算1は、ハイリスク薬が処方箋に含まれていて算定要件に則った指導を行えば、毎回算定可能でしたが、令和6年度改定から、新規処方時や用法・用量変更時、患者さんの体調変化が認められたときに限り算定できることになりました。

厚生労働省：診療報酬の算定方法の一部改正に伴う実施上の留意事項について（通知）
令和6年3月5日　保医発0305第4号　別添3

もっと詳しく ・━━━━━━━━━━━━━━━━━━━━━━

　特定薬剤管理指導加算1（ハイリスク加算）は、厚生労働省が特に安全管理が必要な医薬品（ハイリスク薬といわれています）として指定した薬剤が新たに処方された場合（10点）、または用法・用量が変更された場合（5点）に、当該医薬品の服用に関し、その服用状況、副作用の有無等について患者さんに確認し、必要な薬学的管理及び指導を行った

ときに算定できます。また、患者さんの副作用の発現状況の変化等に基づき薬剤師が必要と認めて上記の指導を行った場合（5点）にも算定できるとされています。

　薬剤師が服薬指導を終了したあとで、これらの加算の算定要件を満たした服薬指導ができたと判断した場合に算定します。したがって服薬指導を行う前に算定するものではありません。

　また、この加算は、あくまで服薬管理指導料における加算なので、通常の服薬管理指導料のレベルの指導では算定できません。

特定薬剤管理指導加算2や、乳幼児服薬指導加算はどんな場合に算定できるの？　全部取っちゃだめ？

特定薬剤管理指導加算2は医療機関で抗悪性腫瘍剤を注射された患者さんのすべてに算定できるものではありません。乳幼児服薬指導加算においても6歳未満の患者さんの調剤においてすべて算定できるものではありません。

厚生労働省：診療報酬の算定方法の一部改正に伴う実施上の留意事項について（通知）
令和6年3月5日　保医発0305第4号　別添3

もっと詳しく

　特定薬剤管理指導加算2は医科点数表の連携充実加算を届け出ている保険医療機関において、抗悪性腫瘍剤を注射された悪性腫瘍の患者さんに対して、抗悪性腫瘍剤等を調剤する保険薬局の保険薬剤師が算定要件に則った服薬指導を行った場合に算定できます。なお、特定薬剤管理指導加算2を算定する薬局は、あらかじめ施設基準に係る届出が必要です。

　乳幼児服薬指導加算は、6歳未満の乳幼児に対する調剤において、算定要件に則った服薬指導をした場合に算定できます。

　薬剤師が服薬指導を終了したあとで、これらの加算の算定要件を満たした服薬指導ができたと判断した場合に算定します。したがって服薬指導を行う前に算定するものではありません。また、これらの加算は、あ

くまで服薬管理指導料における加算なので、通常の服薬管理指導料のレベルの指導では算定できません。

服薬管理指導料（特例）

**Q
058**

かかりつけ薬剤師が休んだため、急遽別の薬剤師が服薬指導を行いました。服薬管理指導料の特例として59点を算定できる？

A

あらかじめ当該薬剤師が対応することがあることについて、患者さんから文書で同意を得ていれば算定可能ですが、調剤当日に同意を得ても算定はできません。

もっと詳しく

かかりつけ薬剤師と連携するほかの薬剤師として同意を得ることができる薬剤師は1名に限られていましたが、令和6年度改定より複数の薬剤師の対応が可能となりました。ただし、以前と同様あらかじめ文書に薬剤師名を記載して同意を得ておかなければなりません。

なお、かかりつけ薬剤師と連携するほかの薬剤師については、かかりつけ薬剤師のような届出は必要ありませんが、複数の要件を満たす必要があり、薬剤師なら誰でも対応できるわけではありません。

【令和4年3月31日厚生労働省事務連絡「疑義解釈資料の送付について（その1）問26」】

　圊「算定に当たっては、かかりつけ薬剤師がやむを得ない事情により業務を行えない場合にかかりつけ薬剤師と連携する他の薬剤師が服薬指導等を行うことについて、…あらかじめ患者の同意を得ること」とあるが、処方箋を受け付け、実際に服薬指導等を実施する際に同意を得ればよいか。

　圉事前に患者の同意を得ている必要があり、同意を得た後、次回の処方箋受付時以降に算定できる。

外来服薬支援料2

Q 059　一包化調剤をした場合、どの点数を算定すればよいのですか？

A　以前は調剤料の加算として「一包化加算」がありましたが、令和4年度改定から、薬学管理料の「外来服薬支援料2」を算定するようになっています。

厚生労働省：診療報酬の算定方法の一部を改正する件　令和4年厚生労働省告示第54号
別表第三　（調剤点数表）

もっと詳しく

　以前の「一包化加算」は、令和4年度の改定から薬学管理料の「外来服薬支援料2」となりました。薬学管理料に移行されたことに伴い「必要な服薬指導を行い、かつ、患者の服薬管理を支援した場合」との文言が追加されています。以前は一包化するだけで算定できましたが、現在は指導、服薬支援が求められています。医師から一包化の指示があるだけで自動算定することはできません。薬剤師が指導や服薬支援を行ったことを確認したうえで算定することになります。また、施設に入所している患者さんに対して一包化しているが服薬指導を行わない場合、外来服薬支援料2は算定できませんので注意が必要です。

●外来服薬支援料2

多種類の薬剤を投与されている患者又は自ら被包を開いて薬剤を服用することが困難な患者に対して、当該薬剤を処方した保険医に当該薬剤の治療上の必要性及び服薬管理に係る支援の必要性の了解を得た上で、2剤以上の内服薬又は1剤で3種類以上の内服薬の服用時点ごとの一包化及び必要な服薬指導を行い、かつ、患者の服薬管理を支援した場合に、当該内服薬の投与日数に応じて算定する。

**一包化の指示がある処方箋を受け付けましたが、入力するとき
に注意することはありますか？　また、どのような場合に外来
服薬支援料2を算定できますか？**

一包化調剤を行う場合でも、基本的に処方の入力は通常の内服
薬と同じです。そのうえで、一包化のコードを入力していきま
す（レセコンによって異なる）。一包化したら、すべての処方に
おいて外来服薬支援料2が算定できるわけではありません。算
定要件に合致した場合だけ、加算を算定することになります。

もっと詳しく ――・―・―・―・―・―・―・―・―・―・―・―・―・―・―・―

　まず初めに、その処方が一包化できる処方かどうか、どの部分まで一
包化調剤を行えるかを薬剤師に確認しなければなりません。

　基本的に処方内容の入力は、通常の内服処方と同じです。そのうえで、
剤毎に「一包化調剤を行ったコード」（レセコンによって異なる。詳細
はレセコン会社に確認）を入力していきます。レセコンによっては、一
包化指示を入力し、一包化しない剤について「一包化調剤を行わないコ
ード」を入力する機種もあります。

　一包化とは、「多種類の薬剤が投与されている患者においてしばしば
みられる薬剤の飲み忘れ、飲み誤りを防止すること又は心身の特性によ
り錠剤等を直接の被包から取り出して服用することが困難な患者に配慮
することを目的とし、治療上の必要性が認められる場合に、医師の了解
を得た上で行うものである」とされています。つまり、単に医師から一
包化指示があっただけで算定できるものではありません。医師の指示が
あるうえで、上記のような治療上の一包化の必要性を薬剤師が確認しな
ければなりません。

　そのうえで、「服用時点の異なる2種類以上の内服用固形剤があり、服
用時点の重複する部分がある」または、「1剤であっても3種類以上の内
服用固形剤が処方されている」のいずれかを満たしている場合に一包化
加算を算定することができます。

　なお、治療上の必要性がなく、患者さんの希望で一包化を行う場合は、
患者さんから実費を徴収してもよいとされています。

Q 061 朝食後のみの処方で一包化の指示があります。薬剤は３種類ですが、その内２つは同じ成分の薬です。外来服薬支援料２を算定できますか？

A 外来服薬支援料２の算定において、同じ剤に３種類以上の薬剤が含まれていれば算定可とされていますが、同じ銘柄の同じ剤形の薬剤は規格が異なっていても１種類として数えます。質問のような事例では算定できません。

平成27年２月３日厚生労働省保険局医療課　疑義解釈資料の送付について（その12）

▶ **もっと詳しく** ・ー・ー・ー・ー・ー・ー・ー・ー・ー・ー・ー・ー・ー・ー・ー・

　外来服薬支援料２の算定要件として、処方内容において「服用時点の異なる２種類以上の内服用固形剤があり、服用時点の重複する部分がある」または、「１剤であっても３種類以上の内服用固形剤が処方されている」のいずれかを満たしている場合に、外来服薬支援料２が算定可とされています。

　ただし、同一銘柄で異なる規格の薬剤が２つ以上含まれている場合、まとめて１種類として数えることとされています。

> 処方例
>
> ヒルナミン錠５mg　　　１錠　　分１　就寝前
>
> ヒルナミン錠25mg　　　１錠　　分１　就寝前
>
> ジプレキサ錠５mg　　　１錠　　分１　就寝前
>
> 以上　一包化　30日分

　このような処方の場合は、外来服薬支援料２は算定できないことになります。外来服薬支援料２の種類数における同一成分同一剤形の数え方は、平成27年２月３日に発出されたＱ＆Ａに記載されています。

> 【平成27年２月３日厚生労働省保険局医療課事務連絡　疑義解釈資料の送付について（その12）】
>
> 問 一包化加算の算定に当たっては、同一銘柄の同一剤形で規格のみが異なる薬剤が同時に調剤された場合（例えば0.5mg錠と１mg錠）は１種類として取り扱うことでよいか。
>
> 答 貴見のとおり。

Q 062 一包化できない医薬品が含まれている処方ですが、外来服薬支援料2を算定できますか？

A 一包化できない薬剤をPTPシートのまま調剤した場合でも、一包化した薬剤だけで外来服薬支援料2の算定要件を満たしていれば、算定することができます。

平成27年2月3日厚生労働省保険局医療課　疑義解釈資料の送付について（その12）

> もっと詳しく ・—・—・—・—・—・—・—・—・—・—・—・—・—・—・—・—・—・—・—

　一包化調剤とは、原則的に処方された医薬品をすべて一包化することが求められています。しかし、処方された薬剤によっては、吸湿性があるため包装から取り出せない等、一包化調剤を行えない薬剤もあります。このような場合は、一包化できない薬剤を除いても算定要件を満たしていれば、外来服薬支援料2を算定できます。この場合、薬剤師に一包化をしなかった薬剤及びその理由を調剤録等に記録しておいてもらいましょう。

　また、処方内容によっては、一包化加算の算定要件から外れた用法の薬剤が単独で存在している場合があります。本来はこのような場合でもすべて一包化して調剤すべきですが、単独で存在している薬剤を一包化しないでPTPシートのまま調剤しても服用に問題がないことなどを患者さんに確認できれば、一包化しないで投薬してもよいとされています。

POINT
高齢化社会の進展に伴い、一包化調剤（外来服薬支援料2）は今後も増加していくことになるでしょう。

外来服薬支援料2と自家製剤加算、計量混合調剤加算は同時に算定できますか？

外来服薬支援料2を算定した場合、自家製剤加算や計量混合調剤加算は算定できないとされています。しかしながら、外来服薬支援料2の算定対象から外れる剤については、算定してもよいことになっています。

平成22年4月30日厚生労働省医療課事務連絡「調剤」問2

もっと詳しく

　下記処方において、一包化調剤を行ったと仮定します。

> 処方1　A錠、B錠　　分3毎食後　　　14日分
> 処方2　C錠、D錠　　分2朝夕食後　　14日分
> 処方3　E散、F散　　分1就寝前　　　14日分

　処方1と処方2で外来服薬支援料2の算定要件を満たしており、処方1または処方2のいずれかで外来服薬支援料2を算定することになりますが、処方3は、外来服薬支援料2の算定対象となる処方1及び処方2のいずれとも服用時点の重複がなく、外来服薬支援料2の算定対象とならないことから、処方3について計量混合調剤加算の算定が可能となります。

服用薬剤調整支援料1・2

 Q 064 服用薬剤調整支援料1は、2種類以上の内服薬が減少することとされていますが、1種類減少されてから、さらにもう1種類減少されて、合計2種類の減少となった場合でも算定できるのでしょうか？

 A 2種類同時でなくてもかまいません。保険薬剤師が減薬の提案を行った日以降に、内服薬の種類が2種類以上減少し、その状態が4週間以上継続した場合に算定できます。

平成30年3月30日厚生労働省保険局医療課　平成30年度診療報酬改定に係る疑義解釈資料（その1）

もっと詳しく ---------------------------------

■ 服用薬剤調整支援料1は、当該内服を開始して4週間以上経過した内服薬6種類以上を当該保険薬局で調剤している患者さんに対して、当該保険薬局の保険薬剤師が、患者さんの意向を踏まえ、患者さんの服薬アドヒアランス及び副作用の可能性等を検討したうえで、処方医に減薬の提案を行い、その結果、処方される内服薬が減少した場合について評価したものです。

■ 服用薬剤調整支援料1は、当該保険薬局で調剤している内服薬の種類数が2種類以上（うち少なくとも1種類は当該保険薬局の保険薬剤師が提案したものとする）減少し、その状態が4週間以上継続した場合に算定します。

■ 調剤している内服薬について、屯服薬は対象とはなりません。また、当該内服薬の服用を開始して4週間以内の薬剤については、調整前の内服薬の種類数から除外します。なお、調剤している内服薬と同一薬効分類の有効成分を含む配合剤及び内服薬以外の薬剤への変更を保険薬剤師が提案したことで減少した場合は、減少した種類数に含めません。

■ 内服薬の種類数の計算にあたっては、錠剤、カプセル剤、散剤、顆粒剤及び液剤については、1銘柄ごとに1種類として計算します。

■ 当該保険薬局で服用薬剤調整支援料1を1年以内に算定した場合にお

いては、前回の算定にあたって減少したあとの内服薬の種類数からさらに２種類以上減少したときに限り、新たに算定することができます。服用薬剤調整支援料1を算定した場合は、保険請求するにあたって調剤報酬明細書（レセプト）の「摘要」欄に、次のようなレセプト電算コード及び減薬の提案を行った年月日、保険医療機関の名称及び保険医療機関における調整前後の薬剤種類数を入力しなければなりません。

- 850100371　減薬の提案を行った年月日
- 830100443　保険医療機関名及び調整前後の種類数

（例：＊＊病院にて＊種類から＊種類に調整。＊＊医院にて＊種類から＊種類に調整）

服薬情報等提供料1・2・3

 同一患者において同一月に２回以上保険医療機関への情報提供を行っても、服薬情報等提供料は月１回しか算定できないことになっているけど、A病院とB医院の医師に情報提供した場合でも月１回しか算定できないの？

 複数の保険医療機関に情報提供した場合、当該保険医療機関の医師または歯科医師ごとに月１回に限り算定できます。

もっと詳しく ─ ─ ─ ─ ─ ─ ─ ─ ─ ─ ─ ─ ─ ─ ─ ─ ─

　なお、調剤を行っていない月に服薬情報等提供料を算定した場合、保険請求するにあたって調剤報酬明細書（レセプト）の「摘要」欄に、レセプト電算コード及び情報提供の対象となる調剤の年月日及び投与日数を入力しなければなりません（巻末資料P326参照）。

Q 066 服薬情報等提供料2の算定は、次回来局までの期間がかなり空いた場合でも算定できますか？

 A 服薬情報等提供料2の算定は、前回の処方せん受付日から次回の処方箋受付日までの経過時間に制限はありません。期間が長くても算定は可能です。

平成16年3月30日厚生労働省保険局医療課　平成16年度診療報酬改定に係る疑義解釈資料

ただし、来局時に、提供した情報に関する患者さんの状態等の確認及び必要な指導を行う必要があります。

 Q 067 処方医から本日の処方箋交付前に、前回までの服薬状況の確認や残薬調整の相談で薬剤師さんへ電話で確認がありました。薬剤師さんが電話で処方医に状況報告されたのですが、この場合、服薬情報等提供料は算定できますか？

 A この事例は、「服薬情報等提供料1」の保険医療機関からの求めがあった場合に該当します。しかし、情報提供の手段として「文書等」とされており、口頭や電話での情報提供は認められていません。また、情報提供にあたっては患者さんの同意が必要となります。

厚生労働省：診療報酬の算定方法の一部改正に伴う実施上の留意事項について（通知）令和4年3月4日　保医発0304第1号　別添3

もっと詳しく

　「服薬情報等提供料1」は、保険医療機関から、「当該患者の服用薬及び服薬状況」または「当該患者に対する服薬指導の要点、患者の状態の変化等」の情報提供の求めがあった場合に、その理由とともに、患者さんの同意を得て、現に患者さんが受診している保険医療機関に対して、当該患者さんの服薬状況等について文書等により提供した場合に算定できます。これには、次に掲げる場合が含まれます。

ア　処方箋を発行した保険医療機関が患者の服用薬の残薬の報告を求め

ており、保険薬局において患者の服用薬の残薬を確認し、残薬が生じている場合はその理由を薬学的に分析した上で当該保険医療機関に対して情報提供を行った場合。

イ　医師の指示による分割調剤及びリフィル処方箋による調剤において、2回目以降の調剤時に患者の服薬状況、服薬期間中の体調の変化等について確認し、処方医に対して情報提供を行った場合。この場合において、次に掲げる事項を含めるものとする。

- ●残薬の有無
- ●残薬が生じている場合はその量及び理由
- ●副作用の有無
- ●副作用が生じている場合はその原因の可能性がある薬剤の推定

ウ　保険医療機関からの求めに応じ、入院前の患者の服用薬について確認し、依頼元の医療機関に情報提供した場合。

　なお、調剤を行っていない月に服薬情報等提供料を算定した場合は、保険請求するにあたって調剤報酬明細書（レセプト）の「摘要」欄に、レセプト電算コードおよび情報提供の対象となる調剤の年月日および投与日数を入力しなければなりません（巻末資料P326参照）。

令和6年度改定で服薬情報等提供料2はどのように変わったの？

 従来の服薬情報等提供料2は、患者さんやその家族等または医療機関に対し情報提供した場合に算定できるものでしたが、令和6年度改定より、医療機関または介護支援専門員へ情報提供した場合に変更されました。

厚生労働省：診療報酬の算定方法の一部改正に伴う実施上の留意事項について（通知）
令和6年3月5日　保医発0305第4号　別添3

もっと詳しく ― ・ ― ・ ― ・ ― ・ ― ・ ― ・ ― ・ ― ・ ― ・ ―

　令和6年度改定において、情報発信のきっかけが従来の「患者若しくはその家族等の求めがあった場合又は保険薬剤師がその必要性を認めた場合」から「保険薬剤師がその必要性を認めた場合であって、患者の同意を得て」に変更されました。つまり、患者さんの求めではなく薬剤師が情報提供の必要性を判断することとなり、患者さんの同意が必須となったことが変更点です。

　また、情報の提供先について、「患者若しくはその家族等又は医療機関」から「保険医療機関又は介護支援専門員（ケアマネジャー）」となり、患者さんへの情報提供は削除されました。

　なお、リフィル処方箋調剤後の医師への情報提供は、従来から服薬情報等提供料1または2を算定できるとされていましたが、今回から情報提供の内容によってどちらを算定するのかが明確になりました。

● リフィル調剤後の情報提供

【服薬情報等提供料1（30点）】：医師の求めにより患者の服薬状況、服薬期間中の体調変化等について確認し、処方医に対して情報提供を行った場合。この場合において、次に掲げる事項を含めるものとする。

- 残薬の有無
- 残薬が生じている場合はその量及びその理由
- 副作用の有無
- 副作用が生じている場合はその原因の可能性がある薬剤の推

【服薬情報等提供料2－ロ（20点）】：薬剤師の判断で患者の服用状況等提供。

オンライン服薬指導

 オンラインによる服薬指導を行うにはどうすればよいのですか？

 基本的に薬剤師がオンライン服薬指導の必要性を認めれば、すべての処方箋においてオンラインで服薬指導を行うことが可能となっています。

もっと詳しく

　以前（2022年3月まで）は、オンライン服薬指導を行うためには厚生労働大臣が定める施設基準に適合しているものとして地方厚生局長等に届け出る必要がありましたが、現在はその必要はありません。

　ただし、音声と画像により双方向通信ができるシステムを薬局側と患者さん側の双方が使用可能である必要があります。音声のみで画像通信ができない電話による服薬指導は算定の対象とはなりませんので注意してください。

　また、以前はオンライン服薬指導を行う対象は、オンライン診療または訪問診療を行った際に交付された処方箋に限られていましたが、現在はそのような制限はありません。すべての処方箋において、薬剤師の判断で必要に応じオンライン服薬指導を行うことが可能となっています。

在宅患者訪問

医師の指示により薬剤師が患者さん宅を訪問し、服薬指導を行いましたが、医療保険で請求するのか、介護保険で請求するのかわかりません。

介護保険が優先となります。まず患者さんが介護保険の被保険者で、要介護の認定（要支援1〜2、要介護1〜5）を受けているかどうかを確認します。要介護認定を受けていない患者さんは、原則として医療保険で請求します。

もっと詳しく

　介護保険の被保険者は、第1号被保険者（65歳以上の者）と第2号被保険者（40歳から64歳までの医療保険加入者）になります。

　これらの被保険者が要介護認定を受け、要支援1〜2、要介護1〜5のいずれかに認定されていれば介護保険を使用し居宅療養管理指導費を請求します。要介護認定を受けていない場合は、原則として医療保険の在宅患者訪問薬剤管理指導料を請求します。

　40歳以上の患者さんの場合は、まず介護保険の要介護認定を受けているかを確認しましょう。40歳未満の人はすべて医療保険での算定になります。

Q 071 今後在宅訪問指導を行う予定の患者さん宅を訪問し、服薬支援を行うことになりました。まだ処方箋は発行されていませんが、なにか算定できる点数はありますか？

A 退院直後など、計画的訪問薬剤管理指導の前の段階で訪問し服薬支援を行った場合、在宅移行初期管理料を算定できます。

厚生労働省：診療報酬の算定方法の一部改正に伴う実施上の留意事項について（通知）
令和6年3月5日　保医発0305第4号　別添3

もっと詳しく

　令和6年度改定より「在宅移行初期管理料」が新設されました。これは、在宅療養を担う医療機関等と連携し、在宅療養を開始するにあたり必要な薬学的管理および指導を行い、医師および介護支援専門員（ケアマネジャー）に文書で情報提供した場合に1回に限り算定できます（この場合、服薬情報等提供料は算定できません）。

　なお、算定の要件として次のアおよびイを満たす必要があります。

> ア　認知症患者、精神障害者である患者など自己による服薬管理が困難な患者、児童福祉法第56条の6第2項に規定する障害児である18歳未満の患者、6歳未満の乳幼児、末期のがん患者及び注射による麻薬の投与が必要な患者。
>
> イ　在宅訪問薬剤管理指導料（単一建物診療患者が1人の場合に限る。）、居宅療養管理指導費及び介護予防居宅療養管理指導費（いずれも単一建物居住者が1人の場合に限る。）に係る医師の指示がある患者。

　摘要欄への記載事項については、巻末資料P333を参照ください。

Q 072 当薬局の薬剤師は、医師の訪問診療に同行して患者さん宅を訪問しています。同行訪問に関して新たに評価された点数ができたと聞いたのですが？

A 処方箋が交付される前に処方医と処方内容を相談し、薬剤師による処方提案が反映された場合に、在宅患者重複投薬・相互作用等防止管理料を算定できるようになりました。

厚生労働省：診療報酬の算定方法の一部改正に伴う実施上の留意事項について（通知）
令和6年3月5日　保医発0305第4号　別添3

もっと詳しく

　令和6年度改定より、在宅医療において、薬剤師が医師とともに患者さん宅を訪問したり、ICTの活用等により医師等の多職種と患者情報を共有する環境等において、薬剤師が医師に対して処方提案を行い、その提案が処方に反映された場合に「在宅患者重複投薬・相互作用等防止管理料」が算定できるようになりました。

　残薬調整以外の処方提案の場合は、「在宅患者重複投薬・相互作用等防止管理料2－イ（40点）」を、残薬調整のための処方提案の場合は「在宅患者重複投薬・相互作用等防止管理料2－ロ（20点）」を算定します。

　なお、算定にあたっては、処方箋の交付前に行った処方医への処方提案の内容（具体的な処方変更の内容、提案に至るまでに検討した薬学的内容および理由等）の要点および実施日時を薬剤服用歴に記載しなければなりません。

　摘要欄への記載事項については、巻末資料P332〜333を参照ください。

在宅で介護保険の「居宅療養管理指導費」を算定している人は「特定薬剤管理指導加算1又は2」は算定できないの？

 「服薬管理指導料」および「かかりつけ薬剤師指導料」に付随する加算のため、「在宅患者訪問薬剤管理指導料」や「居宅療養管理指導費」と同時算定をすることはできません。

厚生労働省：診療報酬の算定方法の一部改正に伴う実施上の留意事項について（通知）令和6年3月5日　保医発0305第4号　別添3

 胃瘻（いろう）で在宅療養中の患者さんが風邪をひいて、咳止めの薬をお届けした場合、「在宅患者緊急訪問薬剤管理指導料」を算定することはできますか？

 計画的な訪問薬剤管理指導の対象となっていない疾患の急変等において、医師の求めによって訪問指導を行い、訪問後に医師へ文書で情報提供した場合は、「在宅患者緊急訪問薬剤管理指導料2」を算定します。医師の求めによるものではない訪問指導の場合や医師への情報提供を行わない場合は「服薬管理指導料」を算定します。

厚生労働省：診療報酬の算定方法の一部を改正する告示　令和6年3月5日　厚生労働省告示第57号　別表三

もっと詳しく

　在宅療養を行っている患者さんにおいて、当該患者さんに係る計画的な訪問薬剤管理指導の対象疾患の急変等に対しては在宅患者緊急訪問薬剤管理指導料1を算定しますが、当該患者さんに係る計画的な訪問薬剤管理指導の対象となっていない疾患の急変等に対しては在宅患者緊急訪問薬剤管理指導料2を算定します。

　在宅患者緊急訪問薬剤管理指導料2は、保険医の求めによる緊急の訪問指導であり、訪問結果を文書で医師に情報提供した場合にのみ算定できます。医師の求めによるものではない訪問指導の場合や、医師への情報提供を行わない場合、緊急でない場合は服薬管理指導料を算定します。

　単に緊急で患者さん宅を訪問し薬剤を届けただけで、服薬指導を行わなかった場合は、いずれの指導料も算定の対象とはなりません。

　なお、令和6年度改定より、新興感染症等の発生時またはまん延時に、当該感染症の患者さんに対して、医師の処方箋に基づき、薬剤師が自宅あるいは入所中の施設を緊急訪問して患者さんまたはその家族等に対面による薬剤交付・服薬指導を行った場合は、在宅患者緊急訪問薬剤管理指導料1を算定できることとなりました。この場合は、通常在宅での療養を行っていない患者さんでも算定可能です。

在宅患者医療用麻薬持続注射療法加算は、麻薬管理指導加算とどう違うの？

麻薬管理指導加算は、内服、注射、外用を問わず麻薬を投与している患者さんすべてが対象となりますが、在宅患者医療用麻薬持続注射療法加算は、麻薬の注射剤を持続注射療法で投与している患者さんに限ります。そのうえで薬剤師が薬学的管理および指導を行い、医師に情報提供を行った場合に算定できます。

厚生労働省：診療報酬の算定方法の一部改正に伴う実施上の留意事項について（通知）令和6年3月5日　保医発0305第4号　別添3

もっと詳しく

　在宅患者医療用麻薬持続注射療法加算を算定するためには、まず「別に厚生労働大臣が定める施設基準に適合しているもの」として地方厚生局長等に届け出る必要があります。

　麻薬の注射剤を持続注射療法で投与している患者さんが対象となります。該当する投与方法かどうか必ず薬剤師に確認してください。また、該当する投与方法で麻薬を投与している患者さんすべてに算定できるものでもありません。

　薬剤師が、その投与および保管の状況、副作用の有無等について患者

さんまたはその家族等に確認し、必要な薬学的管理および指導を行った場合に、1回につき250点を加算することができます。この場合において、麻薬管理指導加算の併算定はできません。

　なお、当加算は、在宅患者訪問薬剤管理指導料・在宅患者緊急訪問薬剤管理指導料・在宅患者緊急時等共同指導料を算定している場合にのみ要件を満たした際に加算できるものです。

※令和6年度介護報酬改定において、居宅療養管理指導費においても同様の加算が追加されました。

9　在宅患者医療用麻薬持続注射療法加算

　ア　在宅患者医療用麻薬持続注射療法加算は、在宅において医療用麻薬持続注射療法を行っている患者又はその家族等に対して、患家を訪問し、麻薬の投与状況、残液の状況及び保管状況について確認し、残液の適切な取扱方法も含めた保管取扱い上の注意等に関し必要な指導を行うとともに、麻薬による鎮痛等の効果や患者の服薬中の体調の変化（副作用が疑われる症状など）の有無を確認し、薬学的管理及び指導を行い、処方医に対して必要な情報提供を行った場合に算定する。

　イ　当該患者が麻薬の投与に使用している高度管理医療機器について、保健衛生上の危害の発生の防止に必要な措置を講ずること。

以下略

＊厚生労働省：診療報酬の算定方法の一部改正に伴う実施上の留意事項について（通知）令和6年3月5日　保医発0305第4号　別添3

在宅中心静脈栄養法加算は、在宅で注射をしている場合に算定できるの？

注射剤ならなんでもよいわけではありません。中心静脈栄養法（IVHやTPNと呼ばれています）を行っている患者さんが対象です。そのうえで薬剤師が薬学的管理及び指導を行い、医師に情報提供を行った場合に算定できます。

もっと詳しく

　在宅中心静脈栄養法加算を算定するためには、まず「別に厚生労働大臣が定める施設基準に適合しているもの」として地方厚生局長等に届け出る必要があります。

　中心静脈栄養法以外の注射剤では算定できません。該当する薬剤かどうか必ず薬剤師に確認してください。また、該当する薬剤を投与している患者さんすべてに算定できるものでもありません。

　薬剤師が、その投与及び保管の状況、配合変化の有無について確認し、必要な薬学的管理及び指導を行った場合に、**1回につき150点を加算**することができます。

　なお、当加算は、在宅患者訪問薬剤管理指導料・在宅患者緊急訪問薬剤管理指導料・在宅患者緊急時等共同指導料を算定している場合にのみ要件を満たした際に加算できるものです。

※令和6年度介護報酬改定において、居宅療養管理指導費においても同様の加算が追加されました。

（12）在宅中心静脈栄養法加算

　ア　在宅中心静脈栄養法加算は、在宅中心静脈栄養法を行っている患者に係る薬学的管理指導の際に、患者の状態、投与環境その他必要な事項等の確認を行った上で、患家を訪問し、患者又はその家族等に対して保管方法、配合変化防止に係る対応方法等の必要な薬学的管理指導を行い、処方医に対して必要な情報提供を行った場合に算定する。

　イ　当該患者に対し2種以上の注射薬が同時に投与される場合に

は、中心静脈栄養法に使用する薬剤の配合変化を回避するために、必要に応じて、処方医以外の医療関係職種に対しても、当該患者が使用する注射剤に係る配合変化に関する留意点、輸液バッグの遮光の必要性等について情報提供する。

以下略

*厚生労働省：診療報酬の算定方法の一部改正に伴う実施上の留意事項について（通知）令和
　6年3月5日　保医発0305第4号　別添3

 医療保険の在宅患者訪問薬剤管理指導料と、服薬情報等提供料は同時算定できますか？

 併算定はできません。かかりつけ薬剤師指導料やかかりつけ薬剤師包括管理料、または在宅患者訪問薬剤管理指導料等を算定している患者さんについて、同一月内に服薬情報等提供料を算定することはできません。
平成28年3月31日厚生労働省保険局医療課　平成28年度診療報酬改定に係る疑義解釈資料（その1）

もっと詳しく

　かかりつけ薬剤師指導料や在宅患者訪問薬剤管理指導料等を算定していない患者さんにおいては、患者さんの同意を得たうえで医師に文書により所定の情報を提供した場合、服薬情報提供料1あるいは2のイを算定できます。また、居宅療養管理指導費を同一月に算定していない介護保険認定患者さんにおいて、介護支援専門員に情報を提供した場合、服薬情報等提供料2のハを算定することができます。

Q 078 経管投薬支援料は、調剤報酬点数表において、在宅患者訪問薬剤管理指導料の項目に記載されていますが、在宅患者訪問薬剤管理指導料を算定している患者さんでないと算定できないのですか？

A 経管投薬支援料は、必要な算定要件を満たせば、在宅患者訪問薬剤管理指導料、居宅療養管理指導費または介護予防居宅療養管理指導費を算定していない患者であっても算定できます。

厚生労働省保険局医療課　令和2年度診療報酬改定に係る疑義解釈資料（その1）（令和2年3月31日）

Q 079 在宅訪問指導を行っている患者さんに対し、医師の指示で深夜に訪問指導を行いました。時間外加算は算定できますか？

A 令和6年度改定において、夜間訪問加算・休日訪問加算・深夜訪問加算が新たに設けられました。

もっと詳しく

　令和6年改定において、患者の急変時等の医師の指示に基づいた緊急訪問について、開局時間外の休日や夜間・深夜に実施した場合の加算が設けられました。

　これは、在宅患者緊急訪問薬剤管理指導料における加算なので、当該指導料を算定した場合にのみ算定可能となります。調剤における時間外加算は薬剤調製料の加算なので注意してください。また、対象患者は、末期の悪性腫瘍の患者および注射による麻薬の投与が必要な患者のみとなります。なお、当該夜間、休日および深夜に、常態として開局している薬局は算定できません。算定できる時間帯は以下の通りとなります。

（イ）　夜間訪問加算：午前8時前と午後6時以降であって深夜を除く時間帯。ただし、休日訪問加算に該当する休日の場合は、休日訪問加算により算定。

（ロ）　休日訪問加算：日曜日及び国民の祝日。1月2日、3日、12

月29日、30日及び31日。ただし、深夜に該当する場合は深夜訪問加算により算定。

（ハ）　深夜訪問加算：午後10時から午前6時まで。

摘要欄への記載事項については、巻末資料P330を参照ください。

医療情報取得加算

Q 080 医療情報取得加算の「患者に係る診療情報を取得等した場合」ってどういう場合？

A 患者さんがマイナンバーカードを薬局に持参し、オンライン資格確認等システム上で、診療情報（薬剤情報等）の患者情報を利用することに同意し、そのうえで薬局が診療情報を確認した場合です。なお、情報の取得を試みたが患者さんの診療情報が格納されていなかった場合でも診療情報を取得等した場合に該当します。

もっと詳しく ・‐・‐・‐・‐・‐・‐・‐・‐・‐・‐・‐・‐・‐・‐・‐・‐

　2022年10月に新設された「診療情報・システム基盤整備体制充実加算」が、令和6年度改定にて体制整備に係る評価から、診療情報の取得・活用に係る評価となり、「医療情報取得加算」に名称変更されました。

　オンライン資格確認等システムの運用を開始している保険薬局（原則義務化）であれば、実際に患者さんがマイナンバーカードを持参していなくても、医療情報取得加算1として、6月に1回に限り3点を算定できます。

　患者さんがマイナンバーカードを薬局に持参し、オンライン資格確認等システムのカードリーダーから、患者に係る診療情報を利用することに同意し、そのうえで薬局がその患者情報を取得した場合、医療情報取得加算1（3点）ではなく、医療情報取得加算2として、6月に1回に限

り1点を算定することになります。オンライン資格確認等システムを通じて情報の取得を試みたが患者の診療情報が格納されていなかった場合も医療情報取得加算2（1点）を算定します。なお、この場合薬剤服用歴等に、オンライン資格確認等システムを通じて情報の取得を試みたが患者の診療情報が格納されていなかった旨を記載する必要があります。

つまり、オンライン資格確認等システムを導入している薬局においては、患者さんがマイナンバーカードを持参していない場合（カードが破損等により利用できない場合、カードの利用者証明用電子証明書が失効している場合も含む）や情報提供に同意しない場合は3点、患者さんがマイナンバーカードを持参し情報提供に同意すれば、情報の有無にかかわらず1点を算定できることになります。

この加算は、薬局がオンライン資格確認等システムを導入し、患者さんがマイナンバーカードを持参し、情報提供に同意することを期待したものです。なお、直前に医療情報取得加算1または2を算定した場合、算定後当該月を含めて6月の間は医療情報取得加算1、2のいずれの加算も算定することはできません。

また、次に掲げる事項について、当該保険薬局の見やすい場所およびホームページ等に掲示していることが必要です。
● オンライン資格確認を行う体制を有していること。
● 当該保険薬局に処方箋を提出した患者に対し、診療情報、薬剤情報その他必要な情報を取得・活用して、調剤を行うこと。

【厚生労働省：事務連絡　医療情報・システム基盤整備体制充実加算の取扱いに関する疑義解釈資料の送付について（その1）令和4年9月5日】
（問3）　調剤管理料の注6に規定する医療情報・システム基盤整備体制充実加算について、オンライン資格確認等システムを通じて情報の取得を試みたが患者の薬剤情報等が格納されていなかった場合の算定は、どのようにすればよいか。
（答）医療情報・システム基盤整備体制充実加算2を算定する。なお、薬剤服用歴等に、オンライン資格確認等システムを通じて情報の取得を試みたが患者の薬剤情報等が格納されていなかった旨を記載すること。

薬剤料

薬剤料

 薬剤料がどのように計算されているのかよくわかりません。患者さんに聞かれても困ってしまいます。

 調剤報酬の計算は1点10円として計算します。薬剤料（薬の価格）は、薬価を10で割って点数にしてから計算し、その値を10倍するという回りくどい方法をとっているのです。

もっと詳しく

　詳細は以下のとおりです。

　薬剤料（薬の価格）は、国が定めた薬価基準によって算定します。これは、全国どこの医療機関、薬局でも同じ価格となっています。

　調剤報酬の計算は、健康保険法により、1点の単価を10円とし、調剤報酬点数表に定める点数を乗じて算定することになっています。よって薬剤料の計算も単位あたりの薬価を10で除して（10で割る）点数に換算し、そのうえで薬剤料を計算し、得られた点数に10を乗じて（10倍する）薬剤料とします。

　内服薬（内服用滴剤を除く）は1剤1日分、湯薬は1調剤1日分、内服用滴剤、屯服薬、浸煎薬、注射薬及び外用薬は1調剤分の金額を10で除し、小数点下一桁が5以下の場合は切り捨て、5を超える場合は切り上げして整数とし（15円以下の場合はすべて1点とする）、さらに10倍して薬剤料とします。内服薬及び湯薬の場合はこの数字に日数を乗じます。

> 例：薬価　15.00円以下　　　＝1点 ➡ 薬剤料 10円
> 　　薬価　15.01円〜25.00円＝2点 ➡ 薬剤料 20円
> 　　薬価　25.01円〜35.00円＝3点 ➡ 薬剤料 30円

Q **082** 後発品の流通が悪く数が揃わない場合、複数の銘柄で調剤してもよいのでしょうか？ 先発品と後発品を混ぜても大丈夫ですか？

A 問題ありませんが、患者さんに了解を得るべきでしょう。薬剤調製料、調剤管理料の算定は、1剤とし通算日数で計算します。

もっと詳しく — — — — — — — — — — — — — — — — — — —

　複数の銘柄の薬剤を混在させて調剤することについては問題ありませんが、レセプトの備考欄には混在した理由を記載し、お薬手帳や薬剤服用歴等にも同様の記録を残すべきでしょう。

　なお、先発品と後発品の混在については、自己負担金の増額についても患者さんに了解を得ることが前提となります。

特定保険医療材料

Q 083 特定保険医療材料ってなんですか？　保険請求はできるの？

A 保険医療において薬機法上の承認または認証を得た医療機器・材料を保険医療材料といいます。保険医療材料のうち、保険請求できるものを特定保険医療材料と分類しています。保険薬局においては、自己注射の目的で患者が使用するディスポーザブル注射器、万年筆型注入器用注射針、在宅医療の目的で患者が使用する「特定保険医療材料及びその材料価格」の別表のⅠ※に規定されている特定保険医療材料については、薬剤と同様に保険請求できます。

※別表Ⅰに掲載されている特定保険医療材料のうち、保険薬局で請求できるものは別表Ⅷに掲載されているため、本書では別表Ⅰを省略し別表ⅧをP117に掲載

厚生労働省：診療報酬の算定方法の一部改正に伴う実施上の留意事項について（通知）
令和6年3月5日　保医発0305第4号　別添3

もっと詳しく

　保険薬局において保険請求できる特定医療材料は以下のように規定されています。

〈特定保険医療材料料〉
区分30 特定保険医療材料
（1）保険薬局で交付できる特定保険医療材料とは、別表2に掲げるものとし、次に該当する器材については算定できない。
ア　別表3に掲げる薬剤の自己注射以外の目的で患者が使用する注射器
イ　在宅医療以外の目的で患者が使用する「特定保険医療材料及びその材料価格（材料価格基準）」（平成20年厚生労働省告示第61号）の別表のⅠに規定されている特定保険医療材料
（2）特定保険医療材料の定義については、「特定保険医療材料の定義について」（令和6年3月5日保医発0305第12号）を参照すること。

別表2

◆インスリン製剤、ヒト成長ホルモン剤、遺伝子組換え活性型血液凝固第Ⅶ因子製剤、乾燥濃縮人血液凝固第Ⅹ因子加活性化第Ⅶ因子製剤、遺伝子組換え型血液凝固第Ⅷ因子製剤、乾燥人血液凝固第Ⅷ因子製剤、遺伝子組換え型血液凝固第Ⅸ因子製剤、乾燥人血液凝固第Ⅸ因子製剤（活性化プロトロンビン複合体及び乾燥人血液凝固因子抗体迂回活性複合体を含む）、性腺刺激ホルモン放出ホルモン剤、性腺刺激ホルモン製剤、ゴナドトロピン放出ホルモン誘導体、ソマトスタチンアナログ、顆粒球コロニー形成刺激因子製剤、インターフェロンアルファ製剤、インターフェロンベータ製剤、ブプレノルフィン製剤、抗悪性腫瘍剤、グルカゴン製剤、グルカゴン様ペプチド－1受容体アゴニスト、エタネルセプト製剤、ヒトソマトメジンC製剤、ペグビソマント製剤、スマトリプタン製剤、グリチルリチン酸モノアンモニウム・グリシン・L－システイン塩酸塩配合剤、アダリムマブ製剤、テリパラチド製剤、アドレナリン製剤、ヘパリンカルシウム製剤、アポモルヒネ塩酸塩製剤、セルトリズマブペゴル製剤、トシリズマブ製剤、メトレレプチン製剤、アバタセプト製剤、pH4処理酸性人免疫グロブリン（皮下注射）製剤、アスホターゼ アルファ製剤、グラチラマー酢酸塩製剤、セクキヌマブ製剤、エボロクマブ製剤、ブロダルマブ製剤、アリロクマブ製剤、ベリムマブ製剤、イキセキズマブ製剤、ゴリムマブ製剤、エミシズマブ製剤、イカチバント製剤、サリルマブ製剤、デュピルマブ製剤、インスリン・グルカゴン様ペチプド－1受容体アゴニスト配合剤、ヒドロコルチゾンコハク酸エステルナトリウム製剤、遺伝子組換えヒト von Willebrand因子製剤、ブロスマブ製剤、メポリズマブ製剤、オマリズマブ製剤、テデュグルチド製剤、サトラリズマブ製剤、ガルカネズマブ製剤、オファツムマブ製剤、ボソリチド製剤、エレヌマブ製剤、アバロパラチド酢酸塩製剤、カプラシズマブ製剤、濃縮乾燥人 C1-インアクチベーター製剤、フレマネズマブ製剤、メトトレキサート製剤、チルゼパチド製剤、ビメキズマブ製剤、ホスレボドパ・ホス

カルビドパ水和物配合剤、ペグバリアーゼ製剤、ラナデルマブ製剤、ネモリズマブ製剤、ペグセタコプラン製剤、ジルコプランナトリウム製剤、コンシズマブ製剤、テゼペルマブ製剤、オゾラリズマブ製及びトラロキヌマブ製剤の自己注射のために用いるディスポーザブル注射器（針を含む）（2024年3月29日現在）

◆万年筆型注入器用注射針

◆「特定保険医療材料及びその材料価格（材料価格基準）」の別表のⅠに規定されている特定保険医療材料

別表3

インスリン製剤、ヒト成長ホルモン剤、遺伝子組換え活性型血液凝固第Ⅶ因子製剤、乾燥濃縮人血液凝固第Ⅹ因子加活性化第Ⅶ因子製剤、遺伝子組換え型血液凝固第Ⅷ因子製剤、乾燥人血液凝固第Ⅷ因子製剤、遺伝子組換え型血液凝固第Ⅸ因子製剤、乾燥人血液凝固第Ⅸ因子製剤（活性化プロトロンビン複合体及び乾燥人血液凝固因子抗体迂回活性複合体を含む）、性腺刺激ホルモン放出ホルモン剤、性腺刺激ホルモン製剤、ゴナドトロピン放出ホルモン誘導体、ソマトスタチンアナログ、顆粒球コロニー形成刺激因子製剤、インターフェロンアルファ製剤、インターフェロンベータ製剤、ブプレノルフィン製剤、抗悪性腫瘍剤、グルカゴン製剤、グルカゴン様ペプチド－1受容体アゴニスト、ヒトソマトメジンC製剤、エタネルセプト製剤、ペグビソマント製剤、スマトリプタン製剤、グリチルリチン酸モノアンモニウム・グリシン・L－システイン塩酸塩配合剤、アダリムマブ製剤、テリパラチド製剤、アドレナリン製剤、ヘパリンカルシウム製剤、アポモルヒネ塩酸塩製剤、セルトリズマブペゴル製剤、トシリズマブ製剤、メトレレプチン製剤、アバタセプト製剤、pH4処理酸性人免疫グロブリン（皮下注射）製剤、アスホターゼ　アルファ製剤、グラチラマー酢酸塩製剤、セクキヌマブ製剤、エボロクマブ製剤、ブロダルマブ製剤、アリロクマブ製剤、ベリムマブ製剤、イキセキズマブ製剤、ゴリムマブ製剤、エミシズマブ製剤、イカチバント製剤、サリルマブ製剤、デュピルマブ製剤、インスリン・グルカゴン様ペプチド－1受容体アゴニスト配合剤、ヒド

ロコルチゾンコハク酸エステルナトリウム製剤、遺伝子組換えヒトvon Willebrand因子製剤、ブロスマブ製剤、メポリズマブ製剤、オマリズマブ製剤、テデュグルチド製剤、サトラリズマブ製剤、ガルカネズマブ製剤、オファツムマブ製剤、ボソリチド製剤、エレヌマブ製剤、アバロパラチド酢酸塩製剤、カプラシズマブ製剤、濃縮乾燥人C1-インアクチベーター製剤、フレマネズマブ製剤、メトトレキサート製剤、チルゼパチド製剤、ビメキズマブ製剤、ホスレボドパ・ホスカルビドパ水和物配合剤、ペグバリアーゼ製剤、ラナデルマブ製剤、ネモリズマブ製剤、ペグセタコプラン製剤、ジルコプランナトリウム製剤、コンシズマブ製剤、テゼペルマブ製剤、オゾラリズマブ製剤、トラロキヌマブ製剤（2024年3月29日現在）

特定保険医療材料及びその材料価格（2024年4月改定）
別表
Ⅷ　別表第三調剤報酬点数表に規定する特定保険医療材料及びその材料価格
001 インスリン製剤等注射用ディスポーザブル注射器
　　（1）標準型　17円
　　（2）針刺し事故防止機能付加型　17円
002 削除（欠番）
003 ホルモン製剤等注射用ディスポーザブル注射器　11円
004 腹膜透析液交換セット
　　（1）交換キット　554円
　　（2）回路
　　　①Yセット　884円
　　　②APDセット　5,470円
　　　③IPDセット　1,040円
005 在宅中心静脈栄養用輸液セット
　　（1）本体　1,400円
　　（2）付属品
　　　①フーバー針　419円

② 輸液バッグ　414円

006 在宅寝たきり患者処置用栄養用ディスポーザブルカテーテル

　（1）経鼻用

　　　① 一般用　183円

　　　② 乳幼児用

　　　　ア 一般型　94円

　　　　イ 非DEHP型　147円

　　　③ 経腸栄養用　1,600円

　　　④ 特殊型　2,110円

　（2）腸瘻用　3,870円

007 万年筆型注入器用注射針

　（1）標準型　17円

　（2）超微細型　18円

008 携帯型ディスポーザブル注入ポンプ

　（1）化学療法用　3,180円

　（2）標準型　3,080円

　（3）PCA型　4,270円

　（4）特殊型　3,240円

009 在宅寝たきり患者処置用気管切開後留置用チューブ

　（1）一般型

　　　① カフ付き気管切開チューブ

　　　　ア カフ上部吸引機能あり

　　　　　ⅰ 一重管　4,020円

　　　　　ⅱ 二重管　5,690円

　　　　イ カフ上部吸引機能なし

　　　　　ⅰ 一重管　3,800円

　　　　　ⅱ 二重管　6,080円

　　　② カフなし気管切開チューブ　4,080円

　（2）輪状甲状膜切開チューブ　2,030円

　（3）保持用気管切開チューブ　6,140円

010 在宅寝たきり患者処置用膀胱留置用ディスポーザブルカテーテ

ル

　　（1）2管一般（Ⅰ）　233円

　　（2）2管一般（Ⅱ）

　　　①標準型　561円

　　　②閉鎖式導尿システム　862円

　　（3）2管一般（Ⅲ）

　　　①標準型　1,650円

　　　②閉鎖式導尿システム　2,030円

　　（4）特定（Ⅰ）　741円

　　（5）特定（Ⅱ）　2,060円

011 在宅血液透析用特定保険医療材料（回路を含む）

　　（1）ダイアライザー

　　　①Ⅰa型　1,440円

　　　②Ⅰb型　1,500円

　　　③Ⅱa型　1,450円

　　　④Ⅱb型　1,520円

　　　⑤S型　2,220円

　　　⑥特定積層型　5,590円

　　（2）吸着型血液浄化器（$\beta2$－ミクログロブリン除去用）

　　　21,700円

012 皮膚欠損用創傷被覆材

　　（1）真皮に至る創傷用 1cm²当たり　6円

　　（2）皮下組織に至る創傷用

　　　①標準型 1cm²当たり　10円

　　　②異形型 1g当たり　35円

　　（3）筋・骨に至る創傷用 1cm²当たり　25円

013 非固着性シリコンガーゼ

　　（1）広範囲熱傷用　1,080円

　　（2）平坦部位用　142円

　　（3）凹凸部位用　309円

014 水循環回路セット　1,100,000円

015 人工鼻材料
  （1）人工鼻
    ①標準型　492円
    ②特殊型　1,000円
  （2）接続用材料
    ①シール型
      ア　標準型　675円
      イ　特殊型　1,150円
    ②チューブ型　16,800円
    ③ボタン型　22,100円
  （3）呼気弁　51,100円

Q 084　インスリンの注入器用の注射針はどのように請求すればよいの？

A　自己注射の目的で患者が使用する万年筆型注入器用注射針は薬剤と同様に保険請求できます。標準型と超微細型の2種類に分類されており、標準型は17円、超微細型は18円です。

もっと詳しく ┈┈┈┈┈┈┈┈┈┈┈┈┈┈┈┈┈┈┈┈┈┈┈┈

　自己注射の目的で患者さんが使用する万年筆型注入器用注射針は「特定保険医療材料及びその材料価格」の別表のⅧに規定されており、薬剤と同様に保険請求できます（4章Q040参照）。

万年筆型注入器用注射針の種類と保険請求価格（2024年4月）

会社名	商品名	ゲージ/長さ	請求価	保険医療材料名
日本ベクトン・ディッキンソン	BDマイクロファインプラス	31G（0.25mm）／5mm	17円	標準型
		31G（0.25mm）／8mm		
		32G（0.23mm）／4mm		
		32G（0.23mm）／6mm		
	BDマイクロファインプロ	32G（0.23mm）／4mm		
ノボ	ペンニードルプラス	32G（0.23mm）／4mm		
テルモ	ナノパスニードルII	34G（0.18mm）／4mm	18円	超微細型
	ナノパスJr	34G（0.18mm）／3mm		

デュオアクティブの保険請求はできるの？

Q 085

A 在宅療養指導管理料を算定している在宅での療養を行っている通院困難な患者さんで、かつ、皮下組織に至る褥瘡（筋肉、骨等 に至る褥瘡を含む）（DESIGN-R分類D3、D4及びD5）を有する患者さんの当該褥瘡に対して、処方箋に基づき交付された場合は、特定保険医療材料として保険請求することができます。

もっと詳しく

（ア）本材料はいずれかの在宅療養指導管理料を算定している場合であって、在宅での療養を行っている通院困難な患者さんのうち、皮下組織に至る褥瘡（筋肉、骨等に至る褥瘡を含む）（DESIGN-R分類D3、D4及びD5）を有する患者さんの当該褥瘡に対して使用した場合、または区分番号「C114」在宅難治性皮膚疾患処置指導管理料を算定している患者さんに対して使用した場合に限り算定できます。

（イ）皮膚欠損用創傷被覆材について、同一の部位に対し複数の創傷被覆材を用いた場合は、主たるもののみ算定します。

（ウ）区分番号「C114」を算定している患者さん以外に対して使用する場合は、いずれも原則として3週間を限度として算定します。それ以上の期間において算定が必要な場合には、摘要欄に詳細な理由を記載することになっています。

■「C114」は、医療機関で算定する「在宅難治性皮膚疾患処置指導管理料」のことです。

■DESIGN-R分類D3、D4及びD5とは、褥瘡経過評価のことで、「D3：皮下組織までの損傷」「D4：皮下組織を越える損傷」「D5：関節腔、体腔に至る損傷」です。

■処方元で「在宅療養指導管理（複数有）」を行っている（算定している）場合で、皮下組織に至る褥瘡に使用したときに、院外処方可（保険薬局から特定医療材料として請求可）となります。

 デュオアクティブやハイドロサイトの請求方法を教えてください。

 注射針などと同じように「医療材料」として請求しますが、商品によって価格やレセプト電算コードが異なります。

もっと詳しく ━━━━━━━━━━━━━━━━━━

　デュオアクティブやハイドロサイトなどの「皮膚欠損用創傷被覆材」の院外処方については、医療機関で行っている在宅医療の内容（在宅療養指導や褥瘡の状態など）により、保険での取り扱い方が定められています。薬局でも「医療材料」として保険請求が可能になりますが、医療材料の院外処方についてはルールがあることを知っておきましょう。院外処方で特定材料として請求可能な「皮膚欠損用創傷被覆材」を表（一部抜粋）にしましたので、参考にしてください。

　なお、請求単位が「cm²」のため、1枚（10cm×10cm）のシートを合計

14枚請求する場合は「1400㎠」として請求します。このように「デュオアクティブ」という名称でも、商品によって価格やレセプト電算コードが異なるため、保険請求の可否を含めて事前に確認しておきましょう。

皮膚欠損用創傷被覆材　医療材料請求コード一覧表（一部抜粋）

保険償還名称	商品名	電算コード	単位
皮膚欠損用創傷被覆材 真皮に至る創傷用	デュオアクティブET	710010819	c㎡
	ハイドロサイト薄型		
皮膚欠損用創傷被覆材 皮下組織に至る創傷用	ハイドロサイトプラス	710010820	c㎡
	ハイドロサイトジェントル銀		
	デュオアクティブ		
	デュオアクティブCGF		

＊表以外の商品でも医療材料として請求可能な「皮膚欠損用創傷被覆材」がありますので、商品名が表にない場合は、販売元などに確認してみてください。

在宅訪問薬剤管理指導を行っている患者さんにおいて、医療機関からの指示に基づき薬局から当該患者さんに衛生材料を供給しましたが、費用は保険で請求できるの？

保険請求ではありません。指示があった医療機関に当該材料に係る費用を請求します。その価格については、薬局における購入価格をふまえ、保険医療機関と保険薬局との相互の合議に委ねるとされています。特定保険医療材料となっていない保険医療材料（例えば注射針）についても衛生材料と同様の取り扱いとなります。

厚生労働省保険局医療課　平成26年度診療報酬改定に係る疑義解釈資料（その8）（平成26年7月10日）

もっと詳しく

　主治医が、在宅医療に必要な衛生材料の提供を指示できる薬局については、当該患者さんに対して「在宅患者訪問薬剤管理指導」を行っており、地域支援体制加算または在宅患者調剤加算の届出を行っているものに限るとされています。また、介護保険法に基づく「居宅療養管理指導」

または「居宅予防療養管理指導」を行っている薬局も含まれます。

＊診療報酬の算定方法の一部改正に伴う実施上の留意事項について（通知）令和6年3月5日　保医発0305第4号　別添1　第1章第2部第2節第1款3
＊厚生労働省保険局医療課　平成26年度診療報酬改定に係る疑義解釈資料（その1）（平成26年3月31日）

薬局を介した在宅医療に必要な衛生材料の提供

①医師の指示を受けた訪問看護ステーションが、必要な衛生材料の量を訪問看護計画書とともに記載し、主治医へ提出する。また、使用実績については訪問看護報告書とともに記載し、主治医へ報告する。
②医療機関は、提供する衛生材料の必要量を判断したうえで、直接患者さんに提供するか薬局に衛生材料の提供に関する依頼を行い、薬局を介し患者宅に必要な衛生材料の提供が行われる。

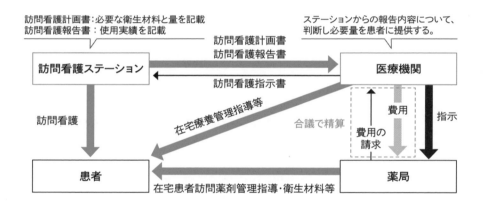

これらのメリットとしてあげられるのが、在宅における療養生活に必要な医療材料の必要量について、医療機関が把握できるため、患者さんや訪問看護ステーションが不足分を負担することがなくなることです。また、薬局と連携することにより、医療機関での在庫管理の負担が軽減します。

＊この枠組みを利用せずに医療機関が患者さんに対して衛生材料を提供することも可能。
（厚生労働省保険医療課平成26年度調剤報酬改定資料を一部改変）

Q 088 令和6年度の改訂から容器代の考え方が変わったらしいけど、どのように変わったの？

A 従来は、容器は原則として薬局が患者さんに貸与していることになっていましたが、今回から実費を徴収（販売）してもよいことになりました。

厚生労働省：診療報酬の算定方法の一部改正に伴う実施上の留意事項について（通知）
令和6年3月5日　保医発0305第4号　別添3

もっと詳しく ╌╌╌╌╌╌╌╌╌╌╌╌╌╌╌╌╌╌╌╌╌╌╌

　投薬時における薬剤の容器を当たり前のように販売していた薬局が多かったと思いますが、実は容器は患者さんに貸与するものとされていました。患者さんが希望すれば、実費を徴収してもよかったのですが、患者さんがその容器を返却した場合、容器の本体部分が再使用できるものであれば、徴収した実費を返還しなければならなかったのです。

　共同指導等で容器代について指導を受けた薬局などでは、無料で容器をお渡ししている事例もありました。

　今回、薬局において再利用されていない現状を踏まえ、容器代を徴収できることとなりました。実際の運用において大きく変わるところはないと思いますが、患者さんから返却の申し出があった場合は、改定の内容をきちんと説明し、ご理解を得るようにしなければなりません。

　ただし、喘息治療剤の施用のため小型吸入器及び鼻腔・口腔内治療剤の施用のため噴霧・吸入用器具（散粉器）を交付した場合は、患者さんにその実費を負担させて差し支えないが、患者さんが当該吸入器を返還した場合は当該実費を返還しなければならないとされています。

　また、製薬メーカーが製造した容器をそのまま投薬に使用する場合の容器代や薬袋、薬包紙の費用は、従来と同様に患者さんに請求することはできません。

その他

Q 089

医師から血糖測定器を購入するよう指示された患者さんが来局したけど、販売してもいいの？

A

血糖測定機器の販売は高度管理医療機器販売業の許可が必要になります。なお、電極部分（センサー）は、医療用の体外診断用医薬品であり、穿刺器具は管理医療機器になります。

第2章

薬局業務の基礎知識

薬局の役割分担

保険薬局

 保険薬局とは、どんな薬局ですか？

 保険薬局とは、保険を使って調剤をすることができる薬局のことです。保険薬局の指定を受けず、薬局の許可のみの場合は、自費調剤はできますが、健康保険を使うことができません。

もっと詳しく

「薬局」とは、「薬剤師が販売または授与の目的で調剤の業務並びに薬剤及び医薬品の適正な使用に必要な情報の提供及び薬学的知見に基づく指導の業務を行う場所」（医薬品医療機器等法第2条12）と規定されています（一部抜粋）。

- ● 保険薬局の指定（健康保険法第65条）
  - ■ 薬局の開設者の申請により厚生労働大臣が指定する。
- ● 保険薬局の責務
  - ■ 「厚生労働省令」で定めるところにより、療養の給付を担当しなければならない（法第70条）。
  - ■ 療養の給付に要する費用の額は、厚生労働大臣が定めるところにより、算定するものとする（法第76条）。

＊厚生労働省保険局医療課医療指導監査室「保険調剤の理解のために」

- ● 「薬局」とは
  薬剤師が販売または授与の目的で調剤する場所（医薬品医療機器等法：旧薬事法）。医薬品の販売もできる。
- ● 「保険薬局」とは
  健康保険を使って処方箋調剤ができる薬局。

● 「調剤薬局」とは

　保険薬局のうち、保険調剤のみを行う調剤専門薬局の通称。

● 「病院の薬局」とは

　医薬品医療機器等法上の薬局ではなく、医療法に基づき正式には「調剤所」という。

薬局と保険薬局

薬局
医薬品医療機器等法で規定される （医薬品医療機器等法第2条）
保険薬局
健康保険法等で規定される、 保険調剤を実施できる薬局 （健康保険法第63条）

出典：厚生労働省「保険調剤の理解のために」

薬局開設者

薬局開設者とは、どのような人のことですか？

文字どおり、薬局を開設した者のことで、薬局の許可を受けた法人※、あるいは個人のことです。

※法人にあってはその代表者

もっと詳しく ‒‒‒‒‒‒‒‒‒‒‒‒‒‒‒‒‒‒‒‒‒‒‒‒‒‒‒‒

　薬局の開設は、医薬品医療機器等法第4条に「その所在地の都道府県知事等の許可を受けなければ、開設してはならない」と明記され、令和元年同法改定により、第4条2の5に「法人にあっては薬事に関する業務に責任を有する役員の氏名」を許可申請書へ記載することが義務化されました。同法第5条の許可の基準を満たすことによって許可されます。

● **法第1条の5第3項（医薬関係者の責務）**

　薬局開設者は、医療を受ける者に必要な薬剤及び医薬品の安定的な供給を図るとともに、当該薬局において薬剤師による前項の情報の提供が円滑になされるよう配慮しなければならない。

薬局の法令遵守体制のイメージ

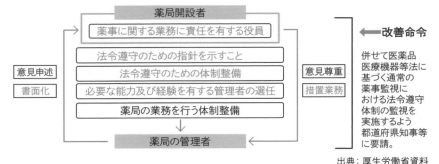

出典：厚生労働省資料

管理薬剤師

Q 003
管理薬剤師とは、どのような薬剤師のことですか？

A　管理薬剤師とは、その薬局を管理する薬剤師のことです。薬局の管理責任者と考えてください。

 もっと詳しく

　医薬品医療機器等法第7条に、「薬局開設者が薬剤師であるときは、自らその薬局を実地に管理するか、薬剤師でない場合または自ら行わない場合は、その薬局において薬事に関する実務に従事する薬剤師のうちから薬局の管理者を指定してその薬局を実地に管理させなければならない（第1、2項）」と規定されており、この管理者のことを「管理薬剤師」といいます。

　管理薬剤師は、「同法第8条の第1項及び2項に規定する義務並びに同条第3項に規定する厚生労働省令で定める業務を遂行し、並びに同項に規定する厚生労働省令で定める事項を遵守するために必要な能力及び経

験を有する者でなければならない」と規定されています（7条第3項）。

　なお、「管理薬剤師」は、その薬局以外の場所で業として薬局の管理その他薬事に関する実務に従事することはできません。ただし、その薬局の所在地の都道府県知事の許可※1を受けたときは、この限りではありません（第4項）。「都道府県知事等が地域の実情、個別の事案を勘案したうえで、薬局の管理者としての業務を遂行するにあたって支障を生ずることがないと判断する場合は、認められ得ること」とされています。

　管理薬剤師の管理業務の具体的な役割については、以下を参照ください。

● **管理者の義務（医薬品医療機器等法第8条）**

　1　薬局の管理者は、保健衛生上支障を生ずるおそれがないように、その薬局に勤務する薬剤師その他の従業者を監督し、その薬局の構造設備及び医薬品その他の物品を管理し、その他その薬局の業務につき、必要な注意をしなければならない。

　2　薬局の管理者は、保健衛生上支障を生ずるおそれがないように、その薬局の業務につき、薬局開設者に対し必要な意見を書面により述べなければならない。

● ※1 **兼務許可の例示（平成31年3月20日薬生総発0320第3号）**

　■薬局の管理者が非常勤の学校薬剤師を兼ねる場合（昭和36年通知）。

　■薬局の営業時間外である夜間休日に、当該薬局の管理者がその薬局以外の場所で地域の輪番制の調剤業務に従事する場合。

　■へき地における薬局の管理者の確保が困難であると認められる場合において、当該地域に所在する薬局の営業時間外に、当該薬局の管理者が他の薬局に勤務する場合。

● **管理薬剤師の管理業務の具体的な役割**※2

　1　従業員の監督

　①管理薬剤師以外の薬剤師、薬剤師以外の従業員が、適切に業務を行っているかどうかの監督（例：接客、法令遵守、情報提供の適否等）をすること。

　②薬学の専門的な知識が必要な事例等、従業員等ができない場合

への対応をすること。

2　医薬品等の管理

①店舗内の医薬品、その他の物品等（医薬部外品、化粧品等）の
　適正な管理を行うこと。

②医薬品と他の物品等（医薬部外品、化粧品等）を区別して貯蔵、
　陳列すること。

③医薬品等が不良品とならないように、遮光、冷所等、適正な保
　管をすること。

④設備の不備等、問題があった場合、開設者に改善するように意
　見を述べること。

⑤不良品や不正表示品（例：有効期限切れ、表示不備品等）を発
　見し、処分をすること。

※2　参考　平成16年7月21日第4回厚生科学審議会　医薬品販売制度改正検討部会資料2-3

保険薬剤師

保険薬剤師って、どんな薬剤師のことですか？

薬剤師法で規定されている「薬剤師」のなかで、健康保険法等
で規定される、保険調剤を行える「薬剤師」のことを、「保険薬
剤師」といいます。

薬剤師法第19条、健康保険法第64条

もっと詳しく

　保険薬局に勤務するうえで必要となり、地方厚生局等に申請し登録さ
れます。

　保険薬剤師については、厚生労働省「保険調剤のために」において、
以下のように記載されています。

● 保険薬剤師

■ 保険薬局において健康保険の調剤に従事する薬剤師は、**保険薬剤師でなければならない**（健康保険法第64条）。

■ 薬剤師の申請に基づき厚生労働大臣が登録（法第71条）。

➡ 自らの意思で保険薬剤師となる。

■ 「厚生労働省令」で定めるところにより、健康保険の調剤にあたらなければならない（法第72条）。

➡ 保険薬剤師は保険上のルールを守る義務がある。

■ 保険薬剤師は、健康保険の調剤に関し、厚生労働大臣の指導を受けなければならない（法第73条）。

➡ 厚生労働大臣の指導（個別、集団）を受ける義務がある。

薬剤師と保険薬剤師

薬剤師
薬剤師法で規定される、 調剤を行うことができる資格 （薬剤師法第19条）

保険薬剤師
健康保険法等で規定される、 保険調剤を行える薬剤師 （健康保険法第64条）

医療保険について

Q
005

日本の保険制度の特徴って？

A

日本の医療保険制度は、①国民皆保険、②フリーアクセス、③現物給付の3つの優れた特徴があります。

● 国民皆保険：すべての国民が公的な医療保険に加入している。

● フリーアクセス：いつでもどこでも医療機関を自由に選べ、医療サービスが受けられる。

● 現物給付：診察や治療や薬などの医療サービスを受けられる。

HPKI

Q 006

HPKIカードってなんですか？ 必要なのですか？

A

薬剤師資格証であり、所持する人が薬剤師であることを証明する「物」であると同時に、内蔵するICチップに電子的なHPKI（保健医療福祉分野公開鍵基盤：Healthcare Public Key Infrastructure）証明書を内包し、電子署名等にも利用できる物です（HPKI電子署名）。電子処方箋への調剤済み印の押印等へ利用できます。

▶ **もっと詳しく** ─────────────────────────

　HPKIカードは薬剤師であれば取得できます。申請するには、発行申請書のほかに、住民票、運転免許証等の顔写真付き本人確認書類、薬剤師資格証に貼付するための顔写真、薬剤師免許証やメールアドレス等が必要になります。なお、カード交付の際には、いわゆる「なりすまし」を防止するため、必ず対面での本人確認を実施しています。

　令和5年1月26日より電子処方箋の運用開始に伴い、薬剤師の電子署名用に急速に普及が拡がりました。

　電子処方箋用の電子署名については、カードの紛失・破損時には署名ができないことで業務が滞ることを防ぐために、「HPKIセカンド電子証明書」の運用を開始し、クラウドサーバー上に格納し、事前に利用者が紐づけを行った生体認証機能つきスマートフォン等（モバイルデバイス）で認証を行うことにより、カードがなくてもHPKI電子署名を行うことが可能となっています。

＊日本薬剤師会HP

薬剤師資格証明証

Pharmacist Qualification Certificate
HPKI 薬剤師資格証

Name 氏名	Hanako Yotsuya **四谷 花子**
Date of birth 生年月日	01 May 1980 昭和55年5月1日
Pharmacist License No. 薬剤師名簿登録番号	第 TC99992 号
Date of expiry 有効期限	1 May 2027 令和8年5月1日

上記の者は、薬剤師であることを証明する。
We hereby certify that the person above mentioned is a Pharmacist.

カード ID JMTTEST11111
Date of issue 発行日 1 May 2027 令和4年4月1日

Japan Pharmaceutical Association
公益社団法人 日本薬剤師会

健康サポート薬局

Q 007 「健サポ」ってなんですか？

A　「健康サポート薬局」のことであり、厚生労働大臣が定める一定基準を満たしている薬局に与える称号です。かかりつけ薬剤師・薬局の機能に加えて、市販薬や健康食品に関すること、介護や食事・栄養摂取に関することまで気軽に相談できる薬局です。

日本薬剤師会HP

もっと詳しく

　健康サポート薬局には、健康サポートを行える資質を持った薬剤師が必要であり、認定として「常駐する薬剤師の資質に係る所定の研修（技能習得型及び知識習得型合計30時間）」を修了して「研修修了証」を取得し、薬局において薬剤師として5年以上の実務経験がある薬剤師が常駐する必要があります。なお、「研修修了証」の有効期限は発行日から6年間のため、有効期限内に更新手続きが必要となります。

ロゴマーク
（厚生労働省基準適合標記有）

厚生労働省基準適合
健康サポート薬局

　認定には、以下の書類が必要となります。
①かかりつけ薬局としての基本的機能
②健康サポートを実施するうえでの地域における連携体制の構築
③常駐する薬剤師の資質
④設備
⑤表示
⑥要指導医薬品等、介護用品等の取り扱い
⑦開局時間
⑧健康サポートの取り組み

地域連携薬局・専門医療機関連携薬局

地域連携薬局と専門医療機関連携薬局ってなんですか？

地域連携薬局とは、入退院時の医療機関等との情報連携や、在宅医療等に地域の薬局と連携しながら一元的・継続的に対応できる薬局のことです。専門医療機関連携薬局とは、がん等の専門的な薬学管理に関係機関と連携して対応できる薬局のことです。

厚生労働省「保険調剤の理解のために」

もっと詳しく

　薬剤師・薬局を取り巻く状況が変化する中、患者さんが自身に適した薬局を選択できるように、都道府県の認定による名称表示が可能です。

- **地域連携薬局の主な要件**
  - 関係機関との情報共有（入院時の持参薬情報の医療機関への提供、退院時カンファレンスへの参加など）
  - 夜間休日の対応を含めた地域の調剤応需体制の構築・参画
  - 地域包括ケアに関する研修を受けた薬剤師の配置
  - 在宅医療への対応（麻薬調剤の対応等）
- **専門医療機関連携薬局の主な要件**
  - 関係機関との情報共有（専門医療機関との治療方針等の共有、患者が利用する地域連携薬局等との服薬情報の共有等）など
  - 学会認定等の専門性が高い薬剤師の配置など

地域連携薬局と専門医療機関連携薬局

地域連携薬局

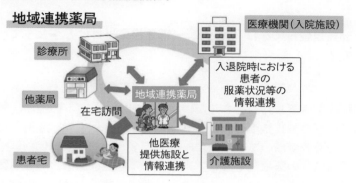

診療所

他薬局

在宅訪問

患者宅

地域連携薬局

医療機関（入院施設）

入退院時における
患者の
服薬状況等の
情報連携

他医療
提供施設と
情報連携

介護施設

専門医療機関連携薬局

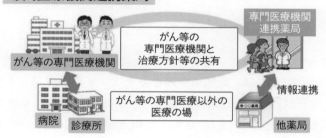

がん等の専門医療機関

病院　診療所

がん等の
専門医療機関と
治療方針等の共有

がん等の専門医療以外の
医療の場

専門医療機関
連携薬局

情報連携

他薬局

出典：厚生労働省

POINT

専門性が高い薬剤師とは、高度な知識・技術と臨床経験を有
する薬剤師のことです。例えば、がん専門薬剤師の場合、日
本医療薬学会または日本臨床腫瘍薬学会の認定が必要です。

一部負担金

Q 009 一部負担金ってなに？ また、一部負担金以外はどうなっているの？

 保険証を持参した患者さんが保険医療機関（病院、診療所、薬局）の窓口で支払う医療費を一部負担金といいます。原則的には、医療費全額の1〜3割が一部負担金となります。保険医療機関は残りの医療費を月ごとにまとめて診療（調剤）報酬明細書（レセプト）という形で審査支払機関に請求を行い、保険者より審査支払機関を通じて残りの7〜9割分の医療費が2か月後に支払われます。

もっと詳しく

　一般的に、この診療（調剤）報酬請求のことを「レセプト請求」と呼び、ひと月に一度原則的にオンラインで請求を行います。なお、レセプトは患者さんごと、医療機関ごと（ただし、医科と歯科は別にする）にまとめることになっています。

保険診療における全体の流れ

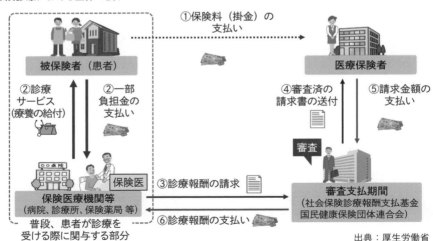

出典：厚生労働省

返戻・査定

Q 010 返戻・査定がきました。どうすればよいの？　審査支払機関ってなに？

A 「返戻」および「査定」は 2 章Q009の図の審査支払機関が請求されたレセプトについて、保険請求上適合しているか「審査」を行い、請求に疑問がある場合は、"詳記依頼"とし「返戻」を行い、不適となれば「査定」されます。なお、審査支払機関には社会保険診療報酬支払基金と国民健康保険団体連合会があります。

－・－ もっと詳しく ・－・－・－・－・－・－・－・－・－・－・－・－・－・

「審査」とは、保険医療機関における個々の診療（調剤）行為が、保険診療ルール（療養担当規則、診療（調剤）報酬点数表、関連通知）に適合しているかどうかを確認する行為です。

● **具体的な審査の内容**

（1）記載事項の確認

記載漏れや保険者番号等の内容不備に関する確認

（2）診療（調剤）行為の確認

診療（調剤）行為の名称、点数、回数、医学（薬学）的な適否、算定要件等に関する確認

（3）医薬品の確認

医薬品の名称、価格、適応、用法、用量、医学（薬学）的な適否などに関する確認

（4）医療材料の確認

医療材料の名称、価格、用法、使用量、医学（薬学）的な適否などに関する確認

● 社会保険の請求➡社会保険診療報酬支払基金

● 国民健康保険・高齢者医療の請求➡国民健康保険団体連合会

巻末資料P304の調剤報酬明細書を参照ください。

レセコンとは

Q 011 レセコンってなんですか？

A レセプトコンピュータの略語であり、審査支払機関に、診療（調剤）報酬を月に一度請求するためにレセプト（診療（調剤）報酬明細書）を作成するコンピュータのことです。

もっと詳しく

　現在は、レセプトを作成するだけでなく、いろいろな機能が追加され、保険薬局では処方箋を受け付け、レセコンに処方内容を入力すると、調剤報酬が計算され、薬袋・薬剤情報提供文書・お薬手帳シール・領収書・明細書などが作成できます。また、レセコンと一体化および連動している電子薬歴の場合は、薬剤服用歴を作成できます。保険薬局はレセコンなしでの運営は難しくなってきています。なお、オンラインで保険証確認、電子処方箋対応、調剤報酬請求ができる機能もあります。

調剤にかかわる事務の業務

基本的な調剤の流れ

基本的な調剤の流れを教えてください。

令和4年度調剤報酬改定に基づき、薬局での調剤業務の流れが
図式化されました（図. 薬局での調剤業務の流れ参照）。
厚生労働省保険局医療課　令和4年度調剤報酬改定の概要

もっと詳しく

「図.薬局での調剤業務の流れ」のなかで、事務員さんがかかわる部分は、
レセコン入力、薬剤の取り揃えの補助、処方箋や調剤録等の保管など、
薬剤師を補助する業務になりますが、いずれも**最終的な責任を有する薬**
剤師の指示に基づき行う必要があります。

● レセコン入力について

レセコンの入力内容は、レセプト請求するためだけでなく、一般的に
薬袋や薬剤情報提供書の印刷、調剤機器との連動も行われるため、レ
セコンへの入力を間違えてしまうと調剤過誤や調剤事故の原因にもな
りかねません。また、ミスを防ぐことが重要になりますが、ミスをお
それるあまり時間をかけすぎてしまうと患者さんの待ち時間に影響し、
クレームの原因になることもあります。

● 一部の調剤業務について　2章Q016参照

事務員さんによる薬の取り揃え補助や、一包化調剤の数量確認の業務
が認められていますが、こちらも上記同様に間違えてしまうと調剤過
誤・事故へのリスクが高まるため、慎重な作業が望まれます。図に示
すとおり、薬剤師は1枚の処方箋を受け取ると、さまざまな作業を行
ったうえで調剤が完結するということを、事務員さんも理解したうえ
で業務に従事することが大切です。

薬局での調剤業務の流れ

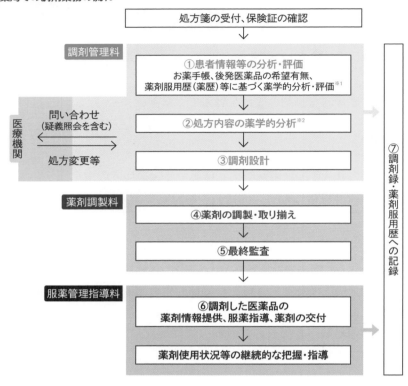

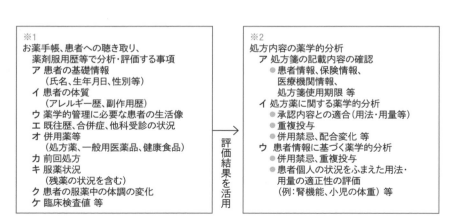

出典：厚生労働省保険局医療課　令和4年度調剤報酬改定の概要（一部改変）

　なお、調剤の流れや作業手順については、行政による指導や監査のときに確認される場合もありますので、きちんと理解しておきましょう。

事務による確認

 薬剤師さんが投薬完了したあと、事務側で確認しなければいけない事項（調剤録、レセコンの入力内容等）ってありますか？

 薬剤師が投薬終了後には、服薬管理指導料及び加算の算定を行い、患者さんからの一部負担金の徴収作業、調剤録と処方箋を照らし合わせ、入力間違い等の確認作業、処方箋及び調剤録をほかのものと区別して保存する作業などがあります。

Do処方とは

 「Do処方」ってなんですか？

 Do（ドゥー）とは、ラテン語の"ditto"から来ており「前に同じ」という意味です。つまり、Do処方＝前回と同じ処方内容という意味になります。

もっと詳しく ―・―・―・―・―・―・―・―・―・―・―・―・―・―・―

　薬局（医療機関）でよく使われる用語の例を挙げます。
- OTC医薬品：「Over The Counter drug」のことで、薬局のカウンター越しに購入する医薬品という意味があります。いわゆる処方箋なしで購入できる医薬品のことであり、市販薬、大衆薬などと呼ばれるこ

ともあります。

- 後発医薬品（ジェネリック医薬品）：新薬の特許期間の終了後に承認された同種同効の医薬品で、開発費が少なくて済むため、その分、価格が安いです。（⇔先発医薬品）
- 新患：新規患者の略です。
- 添付文書：医薬品の効能効果・用法用量・使用上の注意等が書いてある文書です。
- 分3：1日量を3回に分けるという意味。分3＝1日3回。
- 薬価：薬価基準のことで、保険医療で使用される医薬品の価格（公定価格）です。官報に告示されます。
- 薬情：薬剤情報提供文書の略です。
- 投薬：患者さんへ薬を渡し、服薬指導をすることです。

Do入力によるミス

 レセコンの「Do」入力でミスが多いといわれるのですが、どこを確認すべきですか？ 「Do」入力は使わないほうがよいですか？

 どちらで入力してもミスの割合は同じ程度です。しかし、操作性においては「Do」入力のほうが優れています。確認については、いろいろな方法がありますが、思い込みをなくすように心がけることが一番大事です。

もっと詳しく ┈┈┈┈┈┈┈┈┈┈┈┈┈┈┈┈┈┈┈┈┈┈┈┈

　入力の確認方法に「1文字縦確認法」があります。この方法では、レセコンに入力された画面表示の医薬品名のすぐ下に、処方箋に記載された該当する医薬品名を置き（その医薬品のところで処方箋を折って、画面に近づける）、画面と処方箋の文字を縦に1文字ずつ確認します。

1文字縦確認法

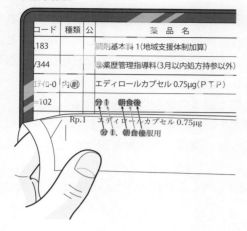

コード	種類	公	薬　品　名
183			調剤基本料1(地域支援体制加算)
344			⑯薬歴管理指導料(3月以内処方持参以外)
エディロ-0	内⑯		エディロールカプセル 0.75μg（ＰＴＰ）
—102			分1　朝食後

Rp.1　エディロール　カプセル 0.75μg
分1、朝食後服用

事務員による検品

Q 016　事務員が医薬品の検品や薬を取り揃えてもいいの？

A　調剤に最終的な責任を持つ薬剤師の指示に基づき、当該薬剤師の目が現実に届く範囲の場所で、処方箋に記載された医薬品を取り揃えたり、納品された医薬品を調剤室内の棚に収めたりすることは認められています。ただし、当該業務の実施に係る手順書を作成し、その手順に則って業務を行うこと、業務を実施するうえで必要な研修を受けること等の条件があります。
平成31年4月2日薬生総発0402第1号

もっと詳しく

　「調剤」については薬剤師法第19条で、「薬剤師でない者は、販売又は授与の目的で調剤してはならない（後略）」と規定されています。しかし、薬剤師の業務を対物業務から対人業務へとシフトするために、薬剤師が調剤に最終的な責任を有するということを前提として、以下の場合に認

められています。

- 調剤に最終的な責任を有する薬剤師の指示に基づき、以下のいずれも満たす業務を薬剤師以外の者が実施することは、差し支えないこと。なお、この場合であっても、調剤した薬剤の最終的な確認は、当該薬剤師が自ら行う必要があること。
  - 当該薬剤師の目が現実に届く限度の場所で実施されること。
  - 薬剤師の薬学的知見も踏まえ、処方箋に基づいて調剤した薬剤の品質等に影響がなく、結果として調剤した薬剤を服用する患者に危害のおよぶことがないこと。
  - 当該業務を行う者が、判断を加える余地に乏しい機械的な作業であること。

  具体的には、
  - 処方箋に記載された医薬品（PTP シートまたはこれに準ずるものにより包装されたままの医薬品）の必要量を取り揃える行為。
  - 監査の前に行う一包化した薬剤の数量の確認行為。
  - 納品された医薬品を調剤室内の棚に収める行為。
  - 調剤済みの薬剤を患者のお薬カレンダーや院内の配薬カート等へ入れる行為、電子画像を用いてお薬カレンダーを確認する行為。
  - 薬局において調剤に必要な医薬品の在庫がなく、卸売販売業者等から取り寄せた場合等に、先に服薬指導等を薬剤師が行ったうえで、患者の居宅等に調剤した薬剤を郵送等する行為。

  薬局開設者は、薬剤師以外の者に上記の業務を実施させる場合は、法令遵守体制を整備する観点から当該業務の実施に係る手順書を整備し、その手順に則って業務を行うこと、および当該業務を実施する薬剤師以外の者に対する薬事衛生上必要な研修の実施をすること、その他の必要な措置を講じることとされています。

  ※調剤の流れの中の、「薬剤の取り揃え」は可能ですが、次のような「薬剤の調製」は薬剤師法第19条に抵触することとなります。

  ✕ 軟膏剤、水剤、散剤等の医薬品を直接計量、混合する行為。

病院に薬を届ける

Q 017

患者さんが病院まで薬を届けてほしいといっています。届けていいの？

A

原則的に居宅指示のある処方箋以外は、薬局以外の場所では「調剤（含投薬）」を行うことは認められず、病院から処方箋のFAXを受信した場合でも、調剤した薬を渡す場所は薬局とされ、病院に届ける行為は認められません。

薬剤師法第22条

もっと詳しく ┈┈┈┈┈┈┈┈┈┈┈┈┈┈┈┈┈┈┈┈┈┈┈┈

　平成10年12月25日医薬企第90号「ファクシミリを利用した処方せん受入体制と患家での薬剤の受渡しについて」では、ファクシミリで電送された処方内容に基づいて行う薬剤の調製等は、「薬剤師が患家を訪問し、処方箋を受領して内容を確認することにより、さかのぼって当該処方箋による薬局での調剤とみなされる」とされています。

　また、「患家」については、平成18年の行政処分取消請求事件の判決に『患家とは患者が日常生活を営んでいる場所と解するのが相当である。』と、病院が患家に当たらないことは明らかであるとされているため、病院に薬を届ける行為は認められないと考えられます。

薬袋不要の人

Q 018 薬の袋は要らないといわれました。渡さなくてもいいの？ また、薬袋の記載方法にルールはあるの？

A 薬剤師法及び施行規則に、調剤された薬剤の表示義務があり、「記載しなければならない」と規定されているため、薬袋を渡さないと薬剤師法等に抵触する可能性があります。

薬剤師法第25条

もっと詳しく

調剤された薬剤の表示は、薬剤の容器または被包に以下を記載します。

● 薬剤師法第25条より
  ■ 処方箋に記載された患者の氏名　■ 用法、用量

● 薬剤師法施行規則第14条より
  ■ 調剤年月日　■ 調剤した薬剤師の氏名
  ■ 調剤した薬局の名称、所在地

監査印・薬剤師印

監査印ってなに？

データーネーム（日付入り）印に「調剤済」を入れた印です。調剤が済んだら、この印を使用して「調剤済み」とします。

もっと詳しく

　処方箋を調剤済みにするためには、「調剤済」の旨、調剤年月日、調剤した薬局の名称及び所在地、および疑義照会をした場合は、その内容（変更内容、変更がなかった場合は回答の内容）を記載し、記名押印または署名が必要となります。

＊薬剤師法第26条、薬剤師法施行規則第15条

　監査印で「調剤済」の旨、調剤年月日、記名の３つが補えます。監査印は署名ではなく記名のため、調剤済みにするためには押印が必要となります。

　監査印、薬局印などのゴム印を処方箋に事務的に押していることもあるでしょう。しかし、調剤済みの処方箋に記載すべき事項は、薬剤師法及び施行規則によって規定されています。印が抜けていたり、文字が欠けていたりすることは、調剤済みになっていないと判断され、場合によっては法律違反となる可能性もあります。処方箋は私文書にあたり、記載も各種法律等によって規定されています。必要性を十分に理解したうえで、業務にあたりましょう。

監査印イメージ

Q 020 薬情に、薬剤師印を押印する必要はありますか？

A 服薬管理指導料を算定した場合は、薬剤情報提供文書(薬情)に保険薬剤師の氏名を記載(押印でも可)する必要があります。

もっと詳しく ‒‒‒‒‒‒‒‒‒‒‒‒‒‒‒‒‒‒‒‒‒‒‒‒‒‒‒‒‒‒

薬剤情報提供文書に記載する事項は以下の通りです。

①当該薬剤の名称（一般名処方による処方箋又は後発医薬品への変更が可能な処方箋の場合においては、現に調剤した薬剤の名称）、形状（色、剤形等）

②用法、用量、効能、効果

③副作用及び相互作用

④服用及び保管取扱い上の注意事項

⑤調剤した薬剤に対する後発医薬品に関する情報

⑥保険薬局の名称、情報提供を行った保険薬剤師の氏名

⑦保険薬局又は保険薬剤師の連絡先等

＊令和6年3月5日　保医発0305第1号　別添3

Q 021 お薬手帳に、薬剤師印を押印する必要はありますか？

A お薬手帳に、薬剤師の氏名記載（押印）の根拠はありません。

もっと詳しく ┈┈┈┈┈┈┈┈┈┈┈┈┈┈┈┈┈┈┈┈┈┈┈┈┈┈┈┈┈┈┈┈┈┈

● 服薬管理指導料を算定した場合

「手帳」とは、経時的に薬剤の記録が記入でき、かつ次の①から④までに掲げる事項を記録する欄がある薬剤の記録用の手帳をいう。

①患者の氏名、生年月日、連絡先等患者に関する記録

②患者のアレルギー歴、副作用歴等薬物療法の基礎となる記録

③患者の主な既往歴等疾患に関する記録

④患者が日常的に利用する保険薬局の名称、保険薬局又は保険薬剤師の連絡先等

薬局側の記載としては、

①調剤を行った薬剤について、調剤日、当該薬剤の名称（一般名処方による処方箋又は後発医薬品への変更が可能な処方箋の場合においては、現に調剤した薬剤の名称）、用法、用量、その他必要に応じて服用に際して注意すべき事項等を患者の手帳に経時的に記載する

②患者に残薬が一定程度認められると判断される場合には、患者の残薬の状況及びその理由

● かかりつけ薬剤師指導料・かかりつけ薬剤師包括管理料を算定した場合

③かかりつけ薬剤師の氏名、勤務先の保険薬局の名称及び連絡先を記載する

● 服薬管理指導料・かかりつけ薬剤師指導料の乳幼児服薬指導加算及び小児特定加算を算定した場合

④服薬指導の内容等を手帳に記載する

＊令和6年3月5日　厚生労働省告示第57号　別表第三

疑義照会とは

Q 022 疑義照会ってなんですか？

A 薬剤師法第24条に「薬剤師は処方箋中に疑わしい点があるときは、その処方箋を交付した医師、歯科医師又は獣医師に問い合わせて、その疑わしい点を確かめたあとでなければ、これによって調剤してはならない」と規定され、この行為を疑義照会といいます。

もっと詳しく

　疑義照会とは、薬剤師の業務のなかでも、特に重要なものです。薬剤師は、患者さんから聴き取った情報等によって薬学的に処方の妥当性を判断し、少しでも疑いがある場合は、処方医に確認することが義務であり、これによって医療事故を未然に防止しています。

　薬剤師が疑義照会を怠ったことにより、患者さんに被害が出て薬剤師に責任を求められた判決も存在します。

　疑義照会後は処方箋の備考欄に、変更の内容または回答の内容などを記載します。なお、照会においては、責任の所在をはっきりさせる必要があるため、照会した日時・照会者名・回答者名も記録しておかなければなりません。

例

照会した日時：○月○日　（△時△分）
照会者氏名　：薬剤師○○
回答者　　　：処方医△△
照会方法　　：電話にて　FAXにて　など
回答内容　　：処方内容が変更になった場合は変更内容
　　　　　　　疑わしい点を確かめた場合はその回答内容

詳しい法律については、以下を参照ください。

● 薬剤師法第23条（一部抜粋）

2　薬剤師は、処方箋に記載された医薬品につき、その処方箋を
　　交付した医師、歯科医師又は獣医師の同意を得た場合を除く
　　ほか、これを変更して調剤してはならない。
● 薬剤師法施行規則第15条（処方箋の記入事項）（一部抜粋）
　　二　法第23条第2項の規定により医師、歯科医師又は獣医師の
　　　同意を得て処方箋に記載された医薬品を変更して調剤した場
　　　合には、その変更の内容。
　　三　法第24条の規定により医師、歯科医師又は獣医師に疑わし
　　　い点を確かめた場合には、その回答の内容。

 Q 023 疑義照会をしたら、処方薬がすべて削除になりました。レセプ
トはどうすればいいの？

 A 該当月に同じ医療機関の処方箋を受け付けていなければ、請求
するものがないため、調剤報酬の請求はできません。

薬を取りに来ない

Q 024
薬をあとで取りに来るといった患者さんが1週間来ません。どうすればいいの？

A
処方箋の使用期間は特に指示がなければ処方箋の交付日を含めて4日以内と決められているため、4日以内に「調剤済み」にする必要があります。4日以内に「調剤済み」になっていない場合は、その処方箋は無効となります。

保険医療機関及び保険医療養担当規則第20条、第21条（処方箋の交付）

もっと詳しく ┄┄┄┄┄┄┄┄┄┄┄┄┄┄┄┄┄┄┄┄┄┄

　調剤薬の最終監査を行い薬袋に入れたら「調剤済み」と思っている薬剤師も少なくありません。しかし、2章Q012の「図．薬局での調剤業務の流れ」にあるとおり、薬局の調剤業務は「調剤録・薬剤服用歴への記録」も含まれており、患者さんに薬を交付し服薬指導を終了した時点（調剤報酬を算定するため）で「調剤済み」になると考えられています。

　したがって、4日以内に薬局で受付を行っても、それはあくまで受付であって「調剤済み」ではありません。FAXで送って来た方、または処方箋を預けた方は、発行日を含めて4日以内に来局をしてもらい、「調剤済み」にする必要があります。

> **POINT**
> 患者さんが処方箋を出したのちに外出される場合は、再来局の時間または連絡先を確認しましょう！

調剤の明細書発行

 Q 025

調剤の明細書は、一部負担金のない方（生保や公費併用、労災、自賠責）にも発行しなければならないですか？

 A

レセプト電子請求を行っている保険薬局は、公費負担医療により一部負担金等がない患者さんについて、患者さんから求めがない場合であっても、明細書の無償交付が義務となります。なお、全額が公費負担の場合はこの限りではありません。

令和6年3月5日　保発0305第11号

もっと詳しく ー・ー・ー・ー・ー・ー・ー・ー・ー・ー・ー・ー・ー・ー・

　原則的に、レセプト電子請求が義務付けられた保険薬局については、領収証を交付するにあたって、明細書を無償で交付することが義務付けられています。その際、患者のプライバシーにも配慮するため、明細書を発行する旨を薬局内に掲示等により明示するとともに、「明細書の交付を希望しない場合は事前に申し出てください。」と掲示し、その意向を的確に確認できるようにすることとされています。

　また、公費負担医療の対象である患者等、一部負担金等の支払いがない患者についても、明細書を無償で発行しなければなりません。ただし、当該患者の療養に要する費用の負担の全額が公費により行われる場合は除きます。

※全額が公費：公費単独（生活保護、児童福祉法等）、労災、自賠責など

POINT

「明細書を発行する旨」の掲示は、個別指導などで記載内容についても確認されることがあります。

処方箋調剤の値引き

自分の処方箋なので、値段を安くしてほしいのだけど？

薬局の職員であっても、一部負担金を値引きすることは健康保険法と保険薬局及び保険薬剤師療養担当規則の「一部負担金の支払・受領」に抵触する可能性があり、認められません。

もっと詳しく ─・─・─・─・─・─・─・─・─・─・─・─・─・─・─

　一部負担金の請求と受領に関しては、健康保険法第74条と保険薬局及び保険薬剤師療養担当規則第4条によって、「患者は支払うこと」、「薬局は支払を受けるもの」と2重に規定され、一部負担金の計算も規定されているため、値引きを行うことはできません。以下に関連する健康保険法と保険薬局及び保険薬剤師療養担当規則を示します。

● 健康保険法第74条（一部負担金）

　第63条第3項の規定により保険医療機関又は保険薬局から療養の給付を受ける者は、その給付を受ける際、次の各号に掲げる場合の区分に応じ、当該給付につき第76条第2項又は第3項の規定により算定した額に当該各号に定める割合を乗じて得た額を、一部負担金として、当該保険医療機関又は保険薬局に支払わなければならない。

● 保険薬局及び保険薬剤師療養担当規則第4条（患者負担金の受領）

　保険薬局は、被保険者又は被保険者であった者については法第74条の規定による一部負担金並びに法第86条の規定による療養についての費用の額に法第74条第1項各号に掲げる場合の区分に応じ、同項各号に定める割合を乗じて得た額の支払を、被扶養者については法第76条第2項又は第86条第2項第1号の費用の額の算定の例により算定された費用の額から法第110条の規定による家族療養費として支給される額（同条第2項第1号に規定する額に限る）に相当する額を控除した額の支払を受けるものとする。

業務終了後の作成書類

日々の業務終了時に、作成、保存が必要な書類ってなにがありますか？ 日計表を出せば、来局者一覧などは必要ないですか？

薬局で保存が必要とされている記録には、巻末資料P311に示したようなものがあります。このほか、売上管理も必要になります。また、会計帳簿（主要簿、補助簿）を作成及び保存することは、商法、会社法等によって規定されており、売上の記録となる日計表、来局患者一覧表なども必要になります。

もっと詳しく

● 主要簿とは

　仕訳帳と元帳からなるものであり、決算日に貸借対照表や損益計算書などの作成の基になるもの。

● 補助簿とは

　主要簿の内訳明細を記録する帳簿であり、現金出納帳、仕入帳、売上帳、預金元帳などで、日計表や来局者一覧がこれにあたります。

月末に必要な処理

月末に作成、確認、保存が必要な処理ってなにがありますか？

薬局は月に一度、調剤報酬明細書を作成して保険者（審査支払機関）に請求を行うため、それらの準備が必要になってきます。また、巻末資料P311の法律のとおり、会計帳簿に必要な帳票があるため、月計表として印刷します。

その他の業務

レセプト返戻時の返金・徴収

レセプトの返戻で、加算の算定誤りや、保険の負担割合違いが発覚した場合、患者さんへの一部負担金の返金や、追加徴収は必要ですか？

２章Q026のとおり、健康保険法と保険薬局及び保険薬剤師療養担当規則の一部負担金の支払・受領に抵触することになるため、必要です。

入力ミス等による不足金

処方入力間違いや給付率間違いなどで不足金が発生してしまいました。患者さんに支払いをお願いしたのですが、「社会通念上、ミスしたほうに責任があるのでは？」といわれてしまいました。どうすればいいの？

一部負担金の支払・受領は健康保険法と保険薬局及び保険薬剤師療養担当規則に規定されており、たとえ会計をミスした場合でも、患者さんにお願いして徴収する必要があります。

健康保険法第74条、保険薬局及び保険薬剤師療養担当規則第4条（２章Q026）

> **もっと詳しく**

薬局側がミスをして、徴収をお願いすることはトラブルの原因となり、対応次第では薬局の信用も失墜し、二度と来局してもらえなくなる可能性があります。まずはミスしたことを素直に謝り、「次回の予約日などを確認し、そのときに徴収させてください」など、誠意を持った姿勢で接する必要があります。もし、来局されない場合は、手数料はこちら持

ちでの振込、返信用書留を入れた郵便などを検討する必要があります。

　このように、会計ミスはとても大変なことになりかねないため、レセコン入力後の再確認方法のルールを決め、励行することも大切です。また、オンライン資格確認が導入されている場合は、保険証情報を確認することができます。

処方箋の保存期間

 処方箋の保存期間は何年間ですか？

 調剤済みとなった処方箋は、薬剤師法では調剤済みとなった日から3年間と規定はありますが、一部の公費医療では5年であり、また民法の時効が5年のため5年間保存したほうがよいでしょう。

令和2年5月8日　保保発0508第1号保国発0508第1号保高発0508第1号

もっと詳しく　—・—・—・—・—・—・—・—・—・—・—・—・—・—・—

　処方箋の保存期間については、薬剤師法第27条に、「薬局開設者は、当該薬局で調剤済みとなった処方箋を、調剤済みとなった日から3年間保存しなければならない」とあります。

　令和2年4月1日の民法の一部を改正する法律の施行により、消滅時効の期間の統一化等の時効に関する規定の整備等が行われ、調剤報酬請求権、保険者の不当利得返還請求権が5年間になったため、調剤済みとなった処方箋を調剤録の一部として保存している場合、調剤録は薬剤師が調剤を行った根拠となるため、5年間保存したほうがよいでしょう。

5年間の保存期間が求められる処方箋

法律等名称／給付名	法別番号	保存期間	関係法規または根拠
感染症法 結核患者の適正医療	10	5年	感染症指定医療機関医療担当規程 第10条、第11条、第13条
障害者総合支援法 自立支援医療 （精神通院医療）	21	5年	指定自立支援医療機関 （精神通院医療）療養担当規程 第5条、第6条、第9条
障害者総合支援法 自立支援医療 （育成医療・更生医療）	16・15	5年	指定自立支援医療機関 （育成医療・更生医療）療養担当規程 第7条、第8条、第11条
難病法 特定医療費	54	5年	指定医療機関療養担当規程（難病） 第5条、第6条、第9条
児童福祉法 小児慢性特定疾病 医療費	52	5年	指定小児慢性特定疾病医療機関 療養担当規程 第7条、第8条、第11条
生活保護法 医療扶助	12	5年	指定医療機関医療担当規程 （生活保護）第8条、第9条、第12条

＊公費医療制度については3章を参照してください。

処方箋の保存場所

処方箋の保存場所は薬局外の場所ではだめですか？

処方箋の保存場所については、一定の条件のもとで、薬局外での保存が認められます。

平成25年3月25日医政発0325第15号薬食発0325第9号保発0325第5号

もっと詳しく

　薬剤師法、保険薬局及び保険薬剤師療養担当規則、高齢者の医療の確保に関する法律の規定による療養の給付の取り扱い及び担当に関する基準に規定されている調剤済みの処方箋及び調剤録については、外部保存が認められています。

　外部保存は、個人情報の保護が担保されていることが条件であり、保険薬局の責任において行い、事故等が発生した場合における責任の所在を明確にしておく必要があります。

- ●電子媒体により外部保存を行う場合
  - ■記録の真正性、見読性及び保存性の確保を満たすこと。
  - ■ガイドラインの作成・遵守・更新を行うこと。
- ●紙媒体のままで外部保存を行う場合
  - ■必要に応じて直ちに利用できる体制を確保しておくこと

調剤録ってなんですか？

調剤録とは、薬剤師が患者さんへ処方箋により調剤を行った証拠になるものです。

もっと詳しく

　調剤録は、薬剤師法によって記載義務と保管義務が以下のように規定されています。

- ●薬剤師法（調剤録）
  - 第28条　薬局開設者は、薬局に調剤録を備えなければならない。
  - 2　薬剤師は、薬局で調剤したときは、厚生労働省令で定めるところにより、調剤録に厚生労働省令で定める事項を記入しなければならない。
  - 3　薬局開設者は、第一項の調剤録を、最終の記入の日から三年間、保存しなければならない。
- ●薬剤師法施行規則（調剤録の記入事項）
  - 第16条　法第28条第2項の規定により調剤録に記入しなければならない事項は、次のとおりとする。ただし、その調剤により当該処

方せんが調剤済みとなった場合は、第1号、第3号、第5号及び第6号に掲げる事項のみ記入することで足りる。

1　患者の氏名及び年令
2　薬名及び分量
3　調剤並びに情報の提供及び指導を行った年月日
4　調剤量
5　調剤並びに情報の提供及び指導を行った薬剤師の氏名
6　情報の提供及び指導の内容の要点
7　処方箋の発行年月日
8　処方箋を交付した医師、歯科医師又は獣医師の氏名
9　前号の者の住所又は勤務する病院若しくは診療所若しくは飼育動物診療施設の名称及び所在地
10　前条第2号及び第3号に掲げる事項（疑義照会等の回答内容）

　なお、第6項の「情報提供及び指導の内容の要点」については、令和2年8月31日付薬生総発0831第6号の2　服薬指導等の記録に、「調剤済みとなった処方箋又は患者の服薬状況や指導内容等を記録したもの（薬剤服用歴等）において、必要事項が記載されていれば当該規定を満たすものであること」とされ、レセコンの電子薬歴等に記載していれば、別途調剤録への記載は求められません。

基礎的医薬品

基礎的医薬品ってなんですか？

長期間、医療現場で使用され、有効性・安全性が明確な品目のうち、臨床上の必要性が高く将来にわたり継続的に製造販売されることが求められ、継続的な安定供給を確保するために薬価上必要な措置が行われている医薬品です。

もっと詳しく

　長期間にわたり薬価収載されていると、繰り返し行われる薬価改定の影響で最低薬価になってしまい、製薬会社が不採算に陥り、製造中止になってしまうため、2016年にこのような制度が設けられました。条件は以下のとおりです。

①収載から25年以上経過し、かつ成分全体及び銘柄の乖離率*がすべての既収載品の平均乖離率以下であること。

②一般的なガイドラインに記載され、広く医療機関で使用されている等、汎用性のあるもの。

③過去の不採算品再算定品目、並びに古くから医療の基盤となっている病原生物に対する医薬品及び医療用麻薬。

　なお、基礎的医薬品の制度によらず十分な収益性が見込まれる品目は対象外とするとともに、基礎的医薬品として薬価が維持されている間は継続的な安定供給を求めることとされています。

$$*乖離率：\frac{現行薬価－市場実勢価格}{現行薬価}$$ 　＊中央社会保険医療協議会薬価専門部会「基礎的医薬品について」

個別指導

個別指導ってなんですか？

保険薬局は、健康保険法第73条の規定により、指導を受ける義務があり、保険調剤の質的向上及び適正化を図ること、調剤報酬請求に関する事項を周知徹底させる事を目的に行われるものとされ、指導の種類には集団指導、集団的個別指導、個別指導があります。

もっと詳しく

　指導は、保険薬局及び保険薬剤師が対象となっており、3つの指導形態があります。そのなかで個別指導は一番強い指導となり、何らかの不具合があった場合は、指導ではなく的確に事実を把握し、公正かつ適切な措置をとることを主眼とした監査になる場合があります。

● **集団指導**

　大きな会場において講習会形式で行われるもので、保険薬局の新規指定及び指定更新にあたっての講習会や、調剤報酬改定時に厚生局が開催する「改定説明会」などがこれにあたります。講習会が終わればそこで完結し、その後の措置や処分といったものはありません。

● **集団的個別指導**

　講習会形式の「集団部分」と個々の薬局毎の面接形式の「個別部分」からなるとされていますが、県によっては集団部分のみが実施され、講習会形式で行われることもあります。改善報告書の提出や自主返還はありません。

● **個別指導**

　個別指導は、地方厚生（支）局及び都道府県が実施する都道府県個別指導（新規指定薬局対象の新規個別指導含む）、厚生労働省並びに地方厚生（支）局及び都道府県が実施する共同指導・特定共同指導があり、個別指導の選定理由は、次の4つに分けられます。

①情報提供：被保険者（患者）・審査支払機関等から調剤内容・調剤
　報酬の請求に関する情報提供があり、厚生局が必要と認めた薬局。
②再指導：前回の個別指導・新規指導の結果が再指導になった薬局。
③高点数：前々年度に集団的個別指導を受け、前年度も高点数の薬局。
④その他：監査の結果、戒告・注意となった薬局や、正当な理由なく
　集団的個別指導を拒否した薬局。

　個別指導後の措置としては「概ね妥当」「経過観察」「再指導」「要監査」
があります。指導により調剤報酬上の算定要件に満たないものは調剤報
酬の自主返還を求められる場合もあります。

● 監査

　監査は個別指導の結果などにより、調剤内容または調剤報酬の請求に
ついて、不正または著しい不当が疑われる場合に、行政上の措置を前提
に行われるものです。

　行政上の措置としては、保険薬局・保険薬剤師の「取消」「戒告」「注意」
があります。なお、取り消し処分となった場合は、原則5年間は再指定
・再登録は行われません。さらに経済上の措置として不正・不当の事実
が認められた場合、原則として5年間分の返還を求められ、最大40%の
加算金が加えられることもあります（健康保険法第58条）。

■ 不正請求の代表例

①無資格者調剤：非薬剤師による調剤。
②架空請求：調剤の事実がないものを調剤したとして請求。
③付増請求：実際に行った調剤内容に実際に行っていない調剤内容を
　付増して請求。
④振替請求：実際に行った調剤内容を点数の高い別の調剤内容に振替
　えて請求。
⑤二重請求：同一の調剤に対する請求を複数回にわたり請求。

＊厚生労働省保険局医療課医療指導監査室「保険調剤の理解のために」

● 健康保険法第73条
　保険医療機関及び保険薬局は療養の給付に関し、保険医及び保険
薬剤師は健康保険の診療又は調剤に関し、厚生労働大臣の指導を受
けなければならない。

調剤基本料の受付回数の計算

Q 036 調剤基本料の受付回数の計算方法を教えてください。

A 受付回数の計算は、前年の5月1日から当年4月末日までの1年間の処方箋受付回数の実績を基に、当年6月1日から翌年5月末日までの調剤基本料が決まります。なお、計算から除外する処方箋もあるので注意が必要です。

令和6年3月5日　保医発0305第6号

もっと詳しく

　受付回数の計算にあたり、除外する処方箋は、以下のとおりとなります。

> ア　薬剤調製料の時間外加算、休日加算、深夜加算又は夜間・休日等加算を算定した処方箋
>
> イ　在宅患者訪問薬剤管理指導料、在宅患者緊急訪問薬剤管理指導料又は在宅患者緊急時等共同指導料の基となる調剤に係る処方箋。ただし、在宅患者訪問薬剤管理指導料（在宅患者オンライン薬剤管理指導料を除く。）の処方箋については、単一建物診療患者一人の場合は受付回数の計算に含める。
>
> ウ　介護保険法に基づく指定居宅サービスに要する費用の額の算定に関する基準又は指定介護予防サービスに要する費用の額の算定に関する基準の基となる調剤に係る処方箋。ただし、単一建物居住者一人の場合の処方箋については受付回数の計算に含める。

　なお、上記に該当しないリフィル処方箋については、調剤実施ごとに受付回数の計算に含めます。

特定の医療機関の割合の計算

 特定の医療機関の割合（処方箋集中率）の計算方法を教えてください。

 処方箋集中率は、特定の保険医療機関に係る処方箋の受付回数（同一保険医療機関から、歯科と歯科以外の処方箋を受け付けた場合は、それらを合計した回数とする）を、当該期間に受け付けたすべての処方箋の受付回数で除して得た値であり、調剤基本料の区分決定に影響します。

令和6年3月5日　保医発0305第6号

・—・—・—・—・ もっと詳しく ・—・—・—・—・—・—・—・—・—・—・—・—・—・—・—・

● 集中率を計算するうえでの注意事項

■ 情報通信機器を用いた服薬指導を行った場合の処方箋の受付回数は、特定の保険医療機関に係る処方箋の受付回数および同一期間内に受け付けたすべての処方箋の受付回数に含めない。

■ 「処方箋受付回数が多い上位3の保険医療機関に係る処方箋による調剤の割合」は、上位3の保険医療機関それぞれの処方箋集中率を合計して得た値とする。

■ 同一グループの保険薬局の勤務者（常勤および非常勤を含めたすべての職員をいう）およびその家族（同一グループの保険薬局の勤務者と同居、または生計を一にする者をいう）の処方箋は、特定の保険医療機関に係る処方箋の受付回数および当該期間に受け付けたすべての処方箋の受付回数のいずれからも除いて計算する。

敷地内薬局

Q 038 敷地内薬局ってなんですか？

A 保険医療機関と不動産取引等その他の特別な関係を有している保険薬局のことであり、多くは対象の保険医療機関の敷地内にあるため、いわゆる敷地内薬局と呼ばれています。

もっと詳しく

　「保険医療機関と不動産取引等その他の特別な関係を有している保険薬局」とは、次のアからエまでのいずれかに該当するものです。ただし、当該保険薬局の所在する建物内に診療所が所在している場合は、ここでいう「保険医療機関と不動産取引等その他の特別な関係を有している保険薬局」には該当しません。

ア　当該保険医療機関と不動産の賃貸借取引関係にある保険薬局である場合

イ　当該保険医療機関が譲り渡した不動産（保険薬局以外の者に譲り渡した場合を含む。）を利用して開局している保険薬局である場合

ウ　当該保険医療機関に対し、当該保険薬局が所有する会議室その他の設備を貸与している保険薬局である場合

エ　当該保険医療機関から開局時期の指定を受けて開局した保険薬局である場合

＊令和6年3月5日保医発0305第6号

　該当すると「特別調剤基本料A」を算定することとなり、

● 地域支援体制加算 ┐
● 後発医薬品使用体制加算 ├ 10／100の点数を算定
● 在宅薬学総合体制加算、 ┘

　また、他特別な関係を有している保険医療機関が対象の場合

● 連携強化加算
● 特定薬剤管理指導加算2

- 吸入薬指導加算
- 外来服薬支援料1「注2」
- 服用薬剤調整支援料2
- 調剤後薬剤管理指導料
- 服薬情報等提供料

を算定することができません。

　さらに、「1処方につき7種類以上の内服薬（特に規定するものを除く。）の調剤を行った場合には、所定点数の100分の90に相当する点数により算定する。」こととなりました。

＊令和6年3月5日　保医発0305第4号　別添3

届出時のレセコンのチェック

 届出をしたときなどに、レセコンでチェックしなければならないことってあるの？

Q
039

 調剤基本料や地域支援体制加算、後発医薬品調剤体制加算などの変更届を出したときや、麻薬を調剤したときにレセプトに自動印字される内容などでは、レセコンの設定に誤りがないかの確認が必要です。

A

もっと詳しく

　レセコンによって調剤基本料や地域支援体制加算、後発医薬品調剤体制加算などの設定箇所はさまざまですが、変更届を出したときは「レセコンの設定に誤りがないか」を実際にレセコンで該当の「年月日」を指定して、届出と算定する内容が一致しているかを確認することをお勧めします。

　また、麻薬を調剤した場合は、レセプトの「保険薬局の所在地及び名称」欄の下部に麻薬小売業者の免許番号の記載が必要です（「麻：○○

○○号」等）。こちらもレセコンのどこで設定をしているかを把握して
おくようにしましょう。

「処方箋受付」ののぼり旗

Q 040

「処方箋受付」の「のぼり旗」を店の前に出すことはだめなの？

A

「屋外広告物」に規定され、各市町村の条例及び景観法に従う必
要があります。また、歩道などに設置する場合は、道路交通法
の規定も受けるため、事前に調査する必要があります。

もっと詳しく ・―・―・―・―・―・―・―・―・―・―・―・―・―・―・―・―・

　「屋外広告物」とは、①常時または一定の期間継続して、②屋外で、
③公衆に表示されるものであって、④看板、立看板、はり紙及びはり札
並びに広告塔、広告版、建物その他の工作物等に掲出され、または表示
されたもの並びにこれらに類するものをいいます。①～④までのすべて
の要件を満たしていれば屋外広告物になります。
＊屋外広告物法第2条

　たとえ私有地であってもルールがある場合があります。折角の集客用
のツールが条例・法に違反することがないように、きちんとルールを守
ることが大切です。

ポイント付与

調剤された薬の代金にポイントをつけていいの？

保険調剤等に係る一部負担金の支払いにおけるポイント提供については原則禁止です。

平成29年1月25日付事務連絡（保険調剤等に係る一部負担金の支払いにおけるポイント付与に係る指導について）

もっと詳しく

　保険調剤における一部負担金支払いに対するポイント付与は、保険薬局及び保険薬剤師療養担当規則の「経済上の利益提供」に該当します。

● 保険薬局及び保険薬局療養担当規則
　※ 第2条の3の2（経済上の利益の提供による誘引の禁止）
　保険薬局は、患者に対して、第4条の規定により受領する費用の額に応じて当該保険薬局における商品の購入に係る対価の額の値引きをすることその他の健康保険事業の健全な運営を損なうおそれのある経済上の利益を提供することにより、当該患者が自己の保険薬局において調剤を受けるように誘引してはならない。

　保険調剤等に係る一部負担金の支払いにおけるポイント付与を原則禁止している趣旨は、以下の考え方によるものです。

● 保険調剤等において
　調剤料や薬価が中央社会保険医療協議会における議論を経て公定されており、これについて、ポイントのような付加価値を付与することは、医療保険制度上、ふさわしくないこと。

● 患者が保険薬局等を選択するにあたって
　保険薬局が懇切丁寧に保険調剤等を担当し、保険薬剤師が調剤、薬学的管理及び服薬指導の質を高めることが本旨であり、適切な健康保険事業の運営の観点から、ポイントの提供等によるべきではないこと。

　以下の①から③までのいずれかに該当する保険薬局は、個別指導の対

象となる可能性がありますのでご注意ください。

①ポイントを用いて調剤一部負担金を減額することを可能としているもの

②調剤一部負担金の１％を超えてポイントを付与しているもの

③調剤一部負担金に対するポイントの付与について大々的に宣伝、広告を行っているもの（具体的には、当該保険薬局の建物外に設置した看板、テレビコマーシャル等）

　なお、以下の行為も、患者誘引になる可能性があります。

● 来局患者へのボックスティッシュ、缶コーヒーなどのサービス

● 薬局外で、薬局の宣伝入りのマスク、ポケットティッシュなどの配布

POINT

カード会社などのキャッシュバックキャンペーンは、同規定に抵触する可能性があるためキャンペーンそのものを辞退する必要があります。

第3章

保険の種類

医療保険制度のしくみ

医療保険制度

 「社保」「国保」「後期」「公費」とは？

 日本の医療保険制度は、社会保険（「社保」）、国民健康保険（「国保」）、後期高齢者医療制度（「後期」）の3つに大別されます。これらの医療保険を国や地方自治体の公費負担医療制度（「公費」）がカバーする形で実施されています。

もっと詳しく

● 医療保険

　社保は会社や官庁、学校など職場に勤める人が被保険者で、職域保険や被用者保険ともいわれます。

　国保は農業や自営業等勤務先を持たない地域住民が被保険者で、地域保険ともいわれます。

　■ 被保険者（本人）……保険料を納入している「本人」
　■ 被扶養者（家族）……保険料を納入している本人の「家族」

● 後期高齢者医療

　医療保険に加入している75歳以上の人、及び65歳以上〜74歳以下で一定の障害の状態にあり、認定を受けた人が対象です。

● 公費負担医療

　国や地方自治体の費用（公費）負担により実施される医療制度です。福祉や公衆衛生の観点から、また病気の種類や患者さんの条件によって、医療費の全額あるいは一部を「公費」が負担します。

患者一部負担

Q
002

一部負担金は年齢によって変わるってほんとなの？

A

患者さんが医療費の一部を自己負担する割合は、原則として年齢及び所得の状況により設定されています。

もっと詳しく

　患者さんの一部負担割合は、年齢や所得の状況により3割、2割、1割と異なりますが、医療費の家計負担が重くならないよう、医療機関や薬局の窓口で支払う医療費が1か月単位（月の初めから終わりまで）で上限額を超えた場合、その超えた額を支給する「高額療養費制度」があります（制度の詳細は3章Q028参照）。

　また、保険者番号の先頭の法別番号が「63」の特例退職者の人でも70歳以上の方は2割負担、一定以上所得者は3割負担となります。

患者一部負担割合

医療保険	対象者	負担割合
医療保険 社保・国保	未就学児童 （6歳に達する日以後の 最初の3月31日まで）	2割負担
	小学校入学〜69歳以下の人	3割負担
	70歳以上の人	2割負担 一定以上所得者は3割負担
後期高齢者 医療	原則として75歳以上の人 （65歳以上で広域連合の 認定を受けた方）	1割負担 一定以上所得者は2割負担※ 現役並み所得者は3割負担

※後期高齢者2割負担で自己負担額が6,000円超える場合、「6,000円+（医療費-30,000円）/10」で計算し、18,000円を上限とする。

例外として、

■船員保険や共済組合の船員組合員の人は、下船後3か月以内の場合、

患者負担はありません。

■ 法定外給付国保については保険者の指示に従ってください。

■「保険証」のかわりに「資格証明書」が交付されている患者さんについては全額自己負担になります。

■ その他、一部負担金の減額・免除・猶予等「証明書」の提示を受けた場合は、証明書に従ってください。

保険者番号、記号・番号（枝番）

 Q 003 保険者番号で職業がわかるの？　番号が「1」は社長さんですか？　芸能人国保ってなに？

 A 保険者番号ですべての職業がわかるわけではありませんが、保険者番号の構成には決まりがあります。社保の保険者番号は8桁で構成されていて、最初の2桁は法別番号のため、法別番号から職業が推測できるものがあります。また、国保でも職域別組合による国民健康保険組合については、保険者番号から職業が推測できるものもあります。

もっと詳しく ‐‐‐‐‐‐‐‐‐‐‐‐‐‐‐‐‐‐‐‐‐‐‐‐‐‐‐‐‐‐‐‐‐‐

　保険証の「記号」の隣に記載されている「番号」は保険者ごとに決まりがあります。中小企業の場合、社会保険への加入手続きをした順に番号が振られていくため、企業の社長さんの番号が「1」というケースが多いです。

● 社保の保険者番号

　社保の保険者番号は、法別番号2桁、都道府県番号2桁、保険者別番号3桁、検証番号1桁を組み合わせた構成（例：協会けんぽ　東京都）。

法別番号		都道府県番号		保険者別番号			検証番号
0	1	1	3	0	0	1	2

法別	保険
01	全国健康保険協会管掌健康保険（協会けんぽ） ■中小企業等のサラリーマンやその家族
02	船員保険
03	日雇特例被保険者の保険
04	
06	組合管掌健康保険 ■大企業等のサラリーマンやその家族
07	防衛省職員給与法による自衛官等の療養の給付
31	国家公務員共済組合
32	地方公務員共済組合
33	警察共済組合
34	公立学校共済組合 日本私立学校振興・共済事業団
63	特定健康保険組合（特例退職者） ■大企業の退職者等
72	国家公務員特定共済組合（特例退職者）
73	地方公務員等特定共済組合（特例退職者）
74	警察特定共済組合（特例退職者）
75	公立学校特定共済組合（特例退職者） 日本私立学校振興・共済事業団（特例退職者）

● 国保の保険者番号

　国民健康保険には、社会保険のような「法別番号」はありません。都道府県番号2桁、保険者別番号3桁、検証番号1桁を組み合わせてつけられます（例：千代田区　国保）。

都道府県番号		保険者別番号			検証番号
1	3	8	0	1	6

退職者医療「法別番号67」は2015年3月31日をもって廃止され新規加入は停止されました。2015年3月以前に退職者医療制度の対象となった方は65歳になるまで対象となります。

同種同業による組合員で組織される組合国保の場合、保険者別番号の先頭が「3」になります（例として「東京芸能人」国民健康保険組合）。

都道府県番号		保険者別番号			検証番号
1	3	3	0	6	6

● 後期高齢者医療の保険者番号

後期高齢者医療の保険者番号は「39」の法別番号を含む8桁の構成で、「番号」は8桁の一連番号です。後期高齢者医療には「記号」はありません（例：千代田区　後期高齢者医療保険）。

法別番号		都道府県番号		保険者別番号			検証番号
3	9	1	3	1	0	1	6

保険証の「枝番」ってなんのこと？

マイナンバーカードの健康保険証利用開始に伴い、2020年10月から医療保険の保険者番号と記号・番号に加えて個人ごとに異なる番号の「枝番」という二桁の番号も追加されるようになりました。

もっと詳しく ー・ー・ー・ー・ー・ー・ー・ー・ー・ー・ー・ー・ー・ー・ー

薬局で医療保険の「枝番」を確認する方法は2つあります。

1つ目はオンライン資格確認を利用する方法です。マイナンバーカードの保険証利用、または保険証に記載されている保険者番号と記号・番

号から資格確認を行うことで「枝番」の確認もできます。

　2つ目は保険証や処方箋に記載された「枝番」を確認する方法です。2020年10月以降に随時、または新たに発行された保険証は「枝番」が記載されていますが、それ以前に発行された保険証は「枝番」の記載はありません。保険証に「枝番」の記載がない場合でも、1つ目のオンライン資格確認では「枝番」を確認することができます。

　なお、「高齢受給者証」に記載されている「枝番」は、レセプトへ記載する「被保険者証」の「枝番」とは異なるので注意しましょう。

保険（変更時）

 患者さんの保険や公費が変更になったときは、レセコンで別に登録が必要？　それとも上書きしてもいいの？

 返戻で会計に修正が必要な場合などを想定すると、上書きはお勧めできません。

もっと詳しく ─ ・─ ・─ ・─ ・─ ・─ ・─ ・─ ・─ ・─ ・─ ・─ ・─ ・─ ・─

　レセコンに登録している保険や公費を上書きしたあと、返戻などの理由により過去（変更前の保険）の会計の更新（印刷物の再発行など）を行う可能性もあります。

　また、電子薬歴の場合、レセコンの保険情報が、薬歴へ連動して記録されるしくみになっているシステムも多いので注意しましょう。

> **POINT**
> 保険情報の登録に誤りがあると、レセプトは返戻されてしまいますので保険情報の変更は慎重に行いましょう。

特別療養費（資格証明書）

Q 006

保険の記号番号欄に「資」って書いてあるのはなに？

A

保険料を特別の理由なく滞納している人に対して交付される
「資格証明書」の記号は「資」と記載されています。「資格証明
書」が交付されている患者さんは、全額自己負担になります。

もっと詳しく

　資格証明書が交付されている患者さんは、一旦、薬局の窓口で全額自
己負担で支払いをしてもらいますが、後日患者さんが、お住まいの市区
町村や保険者へ申請することにより、加入されている保険者から一部負
担金を除いた金額が支給されるしくみがあります（特別療養費）。

　そのため、「資格証明書」を交付されている患者さんは薬局の窓口で
は全額自己負担でお支払いいただきますが、保険薬局では10割負担の紙
レセプトの上部余白に「特別療養費」と赤色で記載し、保険者へレセプ
トを提出することが必要です。

　なお、総括表や請求書の提出ルールは、都道府県ごとに異なるため提
出先の保険者の指示に従って下さい。

後期高齢者

Q 007

医療機関を受診したときには前期高齢者の保険（社保または国保）で診察したのですが、次の日に薬局で受け付けたときには、後期高齢者に変わった場合（翌日が誕生日）、入力はどっちの保険にすればいいの？

A

この場合、後期高齢者医療「39」で受け付けします。

Q 008

後期高齢者医療には「枝番」ってないの？

A

医療保険の保険者番号と記号・番号に加えて個人ごとに異なる二桁の番号「枝番」が追加されるようになりましたが（3章Q004）、後期高齢者医療は、従来から個人単位のため「枝番」はありません。

Q 009 75歳未満で「39：後期高齢者」の保険証をお持ちの患者さんは、会計入力やレセプト請求で注意することがあるの？

A 会計については「39：後期高齢者医療」と同じ考え方になり、患者さんが70歳未満であっても、高額療養費も70歳以上と同じ扱いになります（詳しくは3章Q028参照）。レセプトについては75歳の誕生月に"摘要欄"に「障害」の記載が必要です。

もっと詳しく ─ ─ ─ ─ ─ ─ ─ ─ ─ ─ ─ ─

　75歳になり社保や国保から、"後期高齢者"保険に切り替わる月は、「高額療養費の上限金額半額」制度が適用されますが、75歳未満で「後期高齢者医療」の認定を受けた人については、「高額療養費の上限金額半額」制度は適用されません。

POINT
75歳未満で後期高齢者医療に加入されている患者さんの場合、レセコンでどんな操作を行うのか、確認しておきましょう。

公費負担医療制度のしくみ

公費負担医療制度

 公費のしくみがわかりません。

 医療費を国や地方自治体のお金（公費）で負担することを公費負担医療制度といいます。公費の種類によって異なりますが、公費で自己負担分の一部、または全額を負担することによって患者さんが負担する医療費が少なくなったり、無料（0円）になったりする場合があります。

もっと詳しく ―‥―‥―‥―‥―‥―‥―‥―‥―‥―‥―‥―‥―‥―

　公費の適用を受けている患者さんの場合、医療機関や保険薬局の窓口では、「保険証」とは別に公費の「受給者証明証」等の確認が必要です。医療扶助のオンライン資格確認を導入している薬局では、患者さんがマイナンバーカードでの資格確認を行った場合、生活保護を受給されている方の医療券や調剤券の資格確認ができるようになりました（令和6年3月から運用開始）。

　公費負担医療制度は保険薬局の指定を受けただけでは取り扱いができないものがたくさんありますので、それぞれ申請をして指定を受けなければなりません。また、地方自治体が実施する公費負担医療制度については、患者さんが在住している地方自治体以外の医療機関や保険薬局では使用できないものも多くあります（住所地の都道府県のみなど）。

　まずは、自分の薬局で取り扱える「公費」はなにかを把握しておくことが大切です。また、公費の適用には優先順位もありますので、注意しましょう。

公費番号が2つあるけど、どうやって入力するの？

 公費負担医療制度は、適用する優先順位が決められています。患者さんの負担が0円にできるからといって、優先順位を無視して片方だけを使用したりしてはいけません。

もっと詳しく ・-・-・-・-・-・-・-・-・-・-・-・-・-・-・-・-

　例えば、患者さんが「54（難病）」公費と、「80（県の助成）」公費の両方を持っていて、この2つの公費が一緒に使える場合（併用可能）、優先する第一公費に「54」を、第二公費に「80」を登録して会計を行います。

　国の公費の優先順位については、表.「レセプト記載時の公費負担医療制度の優先順位」を参照ください。

　都道府県や、市区町村が独自に実施する公費（医療助成制度）については、条例や規則により国の公費と併用が可能なものと、そうでないものなど、自治体ごとにいろいろなルールがあります。

　都道府県や市区町村が独自に実施する公費が国の公費と併用可能な場合は、国の公費のほうが優先順位は高くなります。

レセプト記載時の公費負担医療制度の優先順位（2022年4月1日現在）

法別	区分		取扱薬局
13	戦傷病者特別援護法	療養の給付	薬局では使用できません（全額徴収し療養費払い）
14	戦傷病者特別援護法	更生医療	指定が必要
18	原爆被爆者援護法	認定疾病医療	指定が必要
30	心神喪失等医療観察法	医療の給付	指定が必要

法別	区分		取扱薬局
10	感染症法	結核患者の適正医療	指定が必要
21	障害者自立支援法	精神通院医療	指定が必要
15		更生医療	指定が必要
16		育成医療	指定が必要
19	原爆被爆者援護法	一般疾病医療費	指定が必要
52	児童福祉法による小児慢性特定疾病医療支援		指定が必要
54	難病法	特定医療	指定が必要
51	特定疾患治療費、先天性血液凝固因子障害等治療費		都道府県と契約が必要
51	水俣病総合対策費の国庫補助による療養費及び研究治療費		すべての保険薬局
51	メチル水銀の健康影響調査事業の治療研究費		すべての保険薬局
51	茨城県神栖町の有機ヒ素化合物の健康被害等緊急措置事業の医療費		すべての保険薬局
38	肝炎治療特別促進事業に係る医療の給付		都道府県と契約が必要
53	児童福祉法の措置等に係る医療の給付		すべての保険薬局
66	石綿による健康被害の救済に関する法律による医療費の支給		すべての保険薬局
25	中国残留邦人等の円滑な帰国の促進並びに永住帰国した中国残留邦人等及び特定配偶者の自立の支援に関する法律に規定する医療支援給付		指定が必要
12	生活保護法による医療扶助		指定が必要

※従来からの法別番号「28」感染症の予防及び感染症の患者に対する医療に関する法律による一類感染症等の患者の入院（同法第37条）は保険薬局では使用できません。
※令和6年3月5日付厚生労働省事務連絡「新型コロナウイルス感染症の令和6年4月以降の医療提供体制及び公費支援等について」において、令和6年3月末日をもってコロナ患者の治療薬の費用に対する「28」公費の適用は終了することになりました。

Q 012 公費併用の患者さんで、今回臨時の風邪薬などもすべて公費適用の処方箋で出ているのですが、公費番号の記載があればすべて公費併用で請求して大丈夫なの？

A 公費ごとに「対象となる医療の範囲」が定められていますので、「範囲外」の診療行為（処方）については、公費の適用はできません。

もっと詳しく

　処方箋に公費適用の有無が明記（保険単独と、保険と公費併用の2枚の処方箋が発行されているなど）されていれば、その指示に従いましょう。

　もし、処方箋に公費適用の有無の記載がなかった場合（すべて公費適用の処方として1枚の場合など）で、処方箋から公費適用の範囲の判断が難しい場合は、疑義照会が必要となります。

Q 013 公費番号の記載のない主保険だけの処方箋を受け付けたときに、患者さんから「80」「81」「85」などの公費の「受給者証」を提示された場合は、どうしたらいいの？

A まずは、患者さんの受給者証に記載されている公費が自分の薬局で使えるかどうかの確認が必要です（3章Q010参照）。例えば、県外の医療機関で発行された処方箋などで、医療機関では公費を使用できなくても、県内にある自分の薬局では公費を使用できるケースもあります。

もっと詳しく

　国が定める公費医療は全国的に実施されますが、都道府県や市区町村では独自に医療助成（乳幼児や障害者、ひとり親家庭、妊産婦、高齢者など）を行っています。

　各自治体の条例や規則等により、医療機関や保険薬局の所在地等で適

用の可否についてルールが異なることも多いため、自分の薬局で利用できる公費についてはきちんと把握しておくようにしましょう。

　今回の逆のパターンで、処方箋に公費の記載がある場合でも、対象となる住所地以外の都道府県公費については使用できないものも多いため注意が必要です。

＊同じ「80」や「81」から始まる公費番号でも都道府県毎に医療費助成のしくみは異なります。

公費負担医療制度「54」

Q 014　54（難病）の処方箋を受け付けたときに注意しなければならないことってあるの？

A　まずは自分の薬局が指定医療機関になっているのかを確認します。また、自己負担上限額の管理などが必要です。

もっと詳しく

●確認手順

①薬局は難病医療の指定を受けていますか？（更新あり）

②受給者証に「指定医療機関（薬局）」として記載されていますか？

③受給者証の「適用区分」と「月額自己負担上限額」を確認します。

④上限額に達するまでは、患者さんは2割（または1割）負担となります。

　54（難病）公費は、認定を受けた疾病（受給者証に明記された疾病）に対する医療や介護サービスに関する費用について、患者さんが窓口で支払う一部負担金をカバーする公費です。

　54（難病）公費を使用した場合は、保険の負担割合が3割や2割の患者さんは「2割」負担となりますが、保険が優先される公費のため、保険の負担割合が1割の患者さんは「1割」の負担となります。

● 「自己負担上限額管理票」について

　自己負担上限額管理票は、患者さんのひと月ごとの難病医療に係る自己負担（一部負担金）が限度額を超えることがないよう、医療機関と薬局で患者さんが支払う一部負担金を管理するものです（下図参照）。医療機関と薬局で支払った患者さんの自己負担の合計金額が、ひと月の自己負担上限額に達した時点で、それ以上の支払いをする必要がなくなります。

特定医療費（指定難病）
令和4年1月分自己負担上限額管理票

受診者名	○○　○○	受給者番号	1234567

月額自己負担上限額　5,000円

日付	指定医療機関名	医療費総額 （10割分）	自己負担額	自己負担の累積額 （月額）	徴収印
1月7日	○○○病院	10,000円	2,000円	2,000円	印
1月7日	●●●薬局	5,000円	1,000円	3,000円	印

　都道府県や市区町村公費を使用して患者さんの支払いが0円の場合でも、54（難病）の自己負担額を、管理票に記録しなければなりません。
　なお、54（難病）は介護保険の利用分も合算した上限額の管理を行うため、介護保険の一部負担金も忘れず記録しましょう。

公費54（難病）の適用区分「Ⅳ」ってなに？

公費54（難病）及び52（小児慢性特定疾病）の患者さんの特定医療費受給者証の「適用区分」に、70歳未満は「ア」〜「オ」、70歳以上は「Ⅰ」〜「Ⅵ」の各区分が印字されています。適用区分「Ⅳ」は、70歳以上で一定以上所得者「現役並みⅠ」のことを示し、レセプト特記事項は「28区ウ」になります。

もっと詳しく

　レセプト請求に必要な「適用区分」は、公費負担医療費受給者証の「階層区分」とは異なるので注意しましょう（次のページの特定医療費受給者証のイメージ図参照）。

70歳以上の特定医療費受給者証の「適用区分」

適用区分		レセプト特記事項
Ⅰ	低所得Ⅰ	30区オ
Ⅱ	低所得Ⅱ	30区オ
Ⅲ	一般　70〜74歳　2割	29区エ
	一般　75歳以上　2割	41区カ
	一般　75歳以上　1割	42区キ
Ⅳ	現役並みⅠ	28区ウ
Ⅴ	現役並みⅡ	27区イ
Ⅵ	現役並みⅢ	26区ア

　公費負担医療費受給者証の「適用区分」は保険証や限度額認定証と同じ区分であることがほとんどですが、異なる区分が記載されている場合は、患者さんが加入されている「保険者」に確認しましょう。

特定医療費受給者証のイメージ図

○○○ 特定医療費（指定難病）受給者証				
公費負担者番号	54○○○○○○			
受給者番号	○○○○○○○			
患者	氏　名	見本　太郎		
	生年月日	昭和○年○月○日	性　別	男
	住　所	○○県○○市○○○○		
	保険者	○○○○○		
	保険証記号・番号	○・○○	適用区分	区分Ⅳ
有効期限		令和○年○月○日～令和○年○月○日		
疾病名		○○○○○		
月額自己負担限度額		○○○○円	階層区分	○○○○
保護者	氏　名		続　柄	
	住　所			

レセプトの特記事項

氏名	見本　患者 1男　3昭　55.05.05生	特記事項
		28区ウ
職務上の事由		

公費負担医療制度「38」

肝炎「38」公費の患者さんの窓口負担率って何%？

"保険"の負担割合と同じ割合になります。肝炎公費「38」は、月額自己負担上限額を超える自己負担金を助成する公費です。

公費負担医療制度「52」

公費52（小児慢性）と都道府県医療助成公費を持っている患者さんに、薬剤師が在宅訪問管理指導をすることになりました。どのように算定すればいいの？

40歳未満の人については「介護保険」ではなく、医療保険の「在宅患者訪問薬剤管理指導料」を算定します。そのため、公費52（小児慢性）の指定薬局であれば、公費52と、都道府県医療助成公費の両方が使用できます。

もっと詳しく

　40歳以上の「介護保険」を使用する患者さんの場合、地方自治体が実施している医療助成制度については、自治体のルールにより医療保険とは併用できても、介護保険とは併用できないケースが多いので、注意しましょう。

POINT
「52小児慢性特定疾病」は「54難病」と同じく、指定医療機関として自己負担上限額の管理が必要です（3章Q014参照）。

公費負担医療制度「19」

 Q
018

公費19（原爆）の医療証をお持ちの方ですが、処方箋には公費番号が書いてありません。公費は使えないの？

 A

公費19（原爆）を会計で使えるのは、都道府県知事から「指定」を受けた医療機関、薬局だけです。そのため、処方箋には「公費19（原爆）」の記載がなかったとしても、薬局が指定を受けていれば、公費19（原爆）を使用して患者さんは負担金なし（0円）で会計することができます。

もっと詳しく ─‧─‧─‧─‧─‧─‧─‧─‧─‧─‧─‧─‧─‧─‧─‧─‧─‧─‧─‧─

　例えば、患者さんが受診した医療機関が公費19（原爆）の指定（被爆者一般疾病医療機関の指定）を受けていない場合、公費19（原爆）は使用できないため、患者さんは保険の一部負担金を支払わなければなりません（その場合、処方箋にも「公費19（原爆）」は記載されない）。しかし、処方箋を受け付けた薬局が「指定」を受けている場合、薬局では「公費19（原爆）」を使用できます。

　指定を受けていない薬局の場合、患者さんは一部負担金を一旦自分で支払うことになりますが、**あとから請求を行うことで払い戻しを受ける**ことができます。

　なお、自由診療の場合もありますので、注意しましょう（判断がつかない場合は、疑義照会をする）。

POINT

被爆者健康手帳については、他都道府県知事が交付したものでも取り扱うことができます。

公費負担医療制度「51」

水俣病の公費（51）の患者さんも、レセプト請求に特定疾患の
適用区分って必要なの？

特定疾患と同じ法別番号「51」で始まる公費でも、水俣病の公
費は「水俣病総合対策医療事業」として特定疾患とは異なる公
費になるため、適用区分（高額療養費制度の適用区分）はレセ
プトの請求では必要ありません。

その他の保険

医療保険以外の保険の取り扱い

Q
020

「労災保険」や「自賠責保険」「介護保険」「公害医療」については、どこの薬局でも調剤できるの？

A

労災保険………指定申請が必要
自賠責保険……取り扱い可能
介護保険………取り扱い可能
　　　　　　　　（みなし指定なので、辞退しない限り）
公害医療………取り扱い可能（特に申出を行っていない限り）

もっと詳しく ━━━━━━━━━━━━━━━━━━━━━━━━━━

　労災保険を取り扱うためには、労働基準監督署へ指定申請を行い指定を受けた保険薬局となる必要があります。**請求先は労働基準監督署**になります。

　労災保険の指定を受けていない保険薬局は、1点10円で全額徴収し、「療養補償給付たる療養の費用請求書（薬局）業務災害用（様式第7号（2））」、通勤災害は、「通勤災害用（様式第16号の5（2））」を作成し、領収書と一緒に患者さんに交付し、患者さんから労働基準監督署へ請求してもらう形になります。

　自賠責保険は、保険薬局であれば取り扱いできます。

　介護保険は、保険薬局であれば取り扱いできます（みなし指定）。

　公害医療は、特に取り扱わない旨を都道府県知事に申し出ない限り、保険薬局は取り扱いできます。

労災保険

Q 021
「労災でお願いします」と患者さんからいわれましたが、レセコンで「労災」を指定すると負担割合が「0%」になります。でも、病院では全額自費で支払われたそうなのですが、薬局ではどうすればいいの？

A
労災指定薬局でない場合は、処方箋発行元医療機関の負担割合にかかわらず、全額徴収になります。労災指定薬局の場合は、医療機関や薬局ごとで取り扱いはさまざまです。

もっと詳しく

● 労災指定薬局の場合

　事業所から（患者さんが持参されるケースが多い）「療養補償給付たる療養の給付請求書（様式第5号、又は6号、又は様式第16号の3、又は第16号の4）」の提出を受けるまでは、患者さんからは全額徴収し、提出を受けた段階で徴収済分を返金する等、医療機関や薬局ごとで取り扱いはさまざまです。

＊事業所で作成する「療養補償給付たる療養の給付請求書」は、院外処方の場合、医療機関用と薬局用の2枚を作成してもらわなければなりません。
＊医療機関用の用紙のコピーでは返戻になってしまうので、注意しましょう。

　国家公務員や地方公務員が業務上または通勤途中で災害にあった場合（公務災害）は、国家公務員災害補償法、または地方公務員災害補償法が適用されます。公務災害は労災指定薬局でなくても取り扱うことができます。

労災保険の種類

労災って種類があるの？　労災の種類によってレセプト請求は
異なるの？

労災保険には、一般事業所に勤務する労働者を対象とする「労
災保険（業務災害・通勤災害）」と、公務員を対象とする「公務
災害」があります。薬局の労災指定の有無により請求方法が異
なります。詳しくは3章Q020を参考にしてください。

もっと詳しく

● 労災保険
- 業務災害（業務上で負傷したり病気になった場合など）
  事業者から「療養の給付請求書（様式第5号）」が発行されます。
- 通勤災害（通勤途上で災害にあった場合等）
  事業者から「療養の給付請求書（様式第16の3）」が発行されます。
● 労災保険の請求について（労災指定薬局の場合）
- 療養開始1年6か月未満、または1年6か月経過後も傷病補償年金
  を受給するまでは「労災短期」「短期給付」になるため、「薬剤費請
  求内訳書　指薬機様式第2号」で請求します。
- 傷病（補償）年金受給者（「労災長期」や「長期」の人）は、「薬剤
  費請求内訳書（傷病）指薬機様式第3号」で請求します。
- 業務災害や通勤災害もレセプト電算請求やオンライン請求を行え
  ますが、療養の給付請求書（様式第5号）等については、都道府県
  労働局に送付が必要です。
- 公務災害（国家公務員や地方公務員が業務上又は通勤途上で災害に
  あった場合）についても調剤報酬は同じ扱いになりますが、請求先
  が異なります。事前に請求先の通知がない場合は「療養補償請求書」
  の発行元へ確認してください。
- 公務災害についてはレセプト電算請求やオンライン請求を行うこ
  とはできません。

労災保険（アフターケア）

 Q 023　アフターケアってなに？

 A　アフターケアは、労災保険制度において、業務上または通勤途上の災害により被災された人に対し、治癒後も必要に応じ予防、その他の保険上の措置として実施（社会復帰促進等事業として）するものです。

もっと詳しく

アフターケアの対象となる人には、「健康管理手帳」が交付されています（事業所から「療養の給付請求書（様式第5号）」は発行されない）。

「アフターケア委託費請求書」と「アフターケア委託費請求明細書（薬局用）」を作成し、指定用紙を送付して請求します。

アフターケア委託費もレセプト電算請求やオンライン請求を行えます。

公害医療

Q
024

「公害」のレセプトの作成はどのように行えばいいの？　また、請求書の送付はどうすればいいの？

A

公害専用のレセプト用紙があり、報酬の計算も薬剤料以外は1点15円、薬剤料は1点10円で計算します。

もっと詳しく

　請求先は自治体になりますので、「公害手帳」の発行元の自治体へ連絡、「請求書」を請求します。届いた請求書に記入し、レセプトと併せて振込先を同封のうえ、発行元の自治体首長宛てに請求します。

自賠責保険

 Q 025 「自賠責でお願いします」と患者さんにいわれましたが、レセコンで「自賠責」を指定すると負担割合が「0%」になります。でも、病院では全額自費で支払われたそうなのですが、薬局ではどうすればいいの？

 A 自賠責保険を患者さんが使用される場合、薬局では各保険会社に請求するということになります。そのため、どの保険会社に請求すればよいのか、また、保険会社は自賠責保険を使用することを承諾されているのかについて確認が必要です。

もっと詳しく

　自賠責保険の請求先の確認方法は、医療機関や薬局によりそれぞれですが、患者さんに「保険会社」と「担当者」の連絡先を確認して、直接担当者に確認を行っているケースが多いようです。

　また、確認がとれるまでの間、自由診療として患者さんから全額徴収させていただき、確認がとれた時点でそれまでの分を返金するという流れが一般的です。

　その他、交通事故等による第三者行為損害賠償求償事務として請求する場合もあります（5章Q016参照）。

POINT
自賠責保険と任意保険の2種類があります。また、第三者行為による治療として健康保険を併用する場合もあります。

自賠責保険（1点単価）

Q 026 自賠責の点数について、1点を何円にするとか（医療保険は1点10円ですが）や、明細書発行料について、なにか決まりがあるの？

A 特に決まりはありません。自賠責保険は自由診療になるため、金額（1点を何円にするか、明細書発行料（文書料）を何円にするか）については、各薬局が独自に決めることができます。

もっと詳しく ―・―・―・―・―・―・―・―・―・―・―・―・―・―・―

　自賠責保険については、地域ごとの慣例や薬局ごとのルールによって1点を何円で請求するのかはさまざまです。保険会社によっては金額の目安を指示される場合もありますが、一般的には1点10円〜20円程度の請求が多いようです。

　また、明細書発行料（文書料）についてもさまざまです。明細書発行料（文書料）について請求しない薬局もありますが、一般的には、1,000円〜2,000円程度（＋消費税）の請求が多いようです。

　あまりにも高い金額を請求すると保険会社からクレームが入ることがあるようなので、自分の薬局は「自賠責」の請求をどう設定するか、検討しておきましょう。

POINT
自賠責保険の請求については、医療保険や労災保険と異なり、記載要綱が定められていない部分があります。

自費（自由診療）

「保険番号」が記載されていない「処方箋」を受け付けたときに患者さんから「保険証」を提示されました。どうしたらいいの？

まずは、患者さんは「保険証」を持っているのに処方箋に「保険番号が記載されていない」理由の確認が必要です。理由によっては保険が適用できないケースもあるので、注意しましょう。

もっと詳しく

● 保険が適用できる処方箋とは？

　例えば、前日の深夜に救急で診察を受けたときに保険証を忘れてしまい、一時的に自費で支払ったときに発行された処方箋の場合などでは、当日、保険薬局で「保険証」の提示を受ければ保険を使用することが可能です。ただし、交付された処方箋に対し、医療機関での診療も保険を使用した診療であることを確かめなければならないため、医療機関の発行した領収証を確認したり、発行元の医療機関に確認を行う等、慎重に対応しなければなりません。

● 保険が適用できない処方箋とは？

　調剤済の医薬品の汚損や紛失などにより、患者さんが薬の再交付を求め、処方医に処方箋を再発行してもらった場合では、これらの費用を保険請求することは認められていません。そのため自費処方箋となり、薬局でも調剤にかかわる費用については全額患者さんから徴収します。

● その他の自費処方箋とは？

　自賠責保険を使用する場合や、保険適用外処方の場合、プロペシア（フィナステリド）やバイアグラ（シルデナフィルクエン酸塩）等の保険対象外（薬価基準未収載の医薬品）の医薬品については、患者さんから保険証の提示を受けても、保険は適用できず、自費処方箋として全額患者負担となります。

＊ニコチンパッチ製剤を、保険を使って調剤する場合には、処方箋の備考欄に「ニコチン依存症管理料の算定に伴う処方である」と記載されていることを確認する必要があります。

高額療養費制度のしくみ

高額療養費制度

Q 028 「高額療養費」って誰でも使えるの？

A 以前は患者さんが保険者へ高額療養費制度の申請を行わないといけませんでしたが、現在は患者さんから同意を得られれば、オンライン資格確認システムから限度額適用認定証の情報を確認し、高額療養費制度を簡単に利用できます。

もっと詳しく

　高額療養費制度とは、医療機関や薬局の窓口で支払った医療費が、月の初めから終わりまでで一定額（自己負担限度額）を超えた場合に、その超えた金額を支給する制度です。

　ただし、70歳以上の患者さんについては限度額適用認定証の情報を確認しなくても保険証のみで一定の高額療養費制度を利用することができます。

　例を挙げて説明します。

■ 年齢にかかわらず患者さんが高額療養費制度を利用することを希望されて、オンライン資格確認システムや持参された認定証から限度額適用認定証の確認ができた場合、「適用区分」に従って会計を行います。自己負担限度額を超えた場合、高額療養費が適用されます。なお、レセコンでは患者さんごとに「高額療養費」の設定を行う箇所がありますので、認定証の「適用区分」に応じた設定を行いましょう。

■ 69歳以下の人は限度額適用認定証の確認ができない場合には、高額療養費制度は使えません。65〜74歳までの方で、すでに後期高齢者「39」を持っている人は、下記の70歳以上の場合と同様の扱いになります。

■70歳以上の人は、限度額適用認定証の確認ができない場合でも一定の
　高額療養費制度を使うことができます。

70歳以上の方の認定証の「適用区分」

適用区分		レセプト特記事項
I	低所得I	30区オ
II	低所得II	30区オ
III	一般　70～74歳　　2割	29区エ
	一般　75歳以上　　2割	41区カ
	一般　75歳以上　　1割	42区キ
IV	現役並みI	28区ウ
V	現役並みII	27区イ
VI	現役並みIII	26区ア

POINT
70歳以上の患者さんは、「レセプト特記事項」への記載が義
務づけられています。

先月まで入院されていた患者さんが、限度額適用認定証を提示され、「多数該当です」といっているのですが、どうすればいいの？

 「多数該当」とは、高額医療費制度の一部であり、直近12か月の間に3回以上、自己負担上限額を超えて高額療養費の対象になった場合、4回目以降は「多数該当」とし、さらに自己負担限度額が引き下がることです。なお、高額療養費制度は医療機関・薬局ごとに適用となるので、入院していた医療機関で多数該当となっても、薬局で「多数該当」の要件を満たすまでは適用となりません。

もっと詳しく

　高額療養費が適用される「自己負担限度額」は、次の表のとおり設定されています。

［例］　協会けんぽ　70歳未満の方の区分　【平成27年1月診療分から】

所得区分	自己負担限度額	多数該当
①区分ア （標準報酬月額83万円以上の方）	252,600円+（総医療費^{※1} −842,000円）×1%	140,100円
②区分イ （標準報酬月額53万〜79万円の方）	167,400円+（総医療費^{※1} −558,000円）×1%	93,000円
③区分ウ （標準報酬月額28万〜50万円の方）	80,100円+（総医療費^{※1} −267,000円）×1%	44,400円
④区分エ （標準報酬月額26万円以下の方）	57,600円	44,400円
⑤区分オ（低所得者） （被保険者が市区町村民税の非課税者等）	35,400円	24,600円

※1　総医療費とは保険適用される診療費用の総額（10割）です。

70歳以上の方の区分　【平成30年8月診療分から】

適用区分		ひと月の上限額	
		外来(個人ごと)	(世帯ごと)
現役並み	年収1,160万円〜 標報83万円以上／課税所得690万円以上	252,600円+(医療費−842,000)×1% [多数該当：140,100円]	
	年収770万円〜約1,160万円 標報53万円以上／課税所得380万円以上	167,400円+(医療費−558,000)×1% [多数該当：93,000円]	
	年収370万円〜約770万円 標報28万円以上／課税所得145万円以上	80,100円+(医療費−267,000)×1% [多数該当：44,400円]	
一般	年収156万円〜約370万円 標報26万円以下 課税所得145万円未満等	18,000円 (年14万4千円)	57,600円 [多数該当： 44,400円]
住民税非課税等	Ⅱ　住民税非課税世帯	8,000円	24,600円
	Ⅰ　住民税非課税世帯 (年金収入80万円以下など)		15,000円

POINT

同一月に同一世帯でかかった自己負担額の合算額に対して高額療養費が適用される「世帯合算」という制度もあります。この場合は、患者さん自ら還付請求を行います。

Q 030 高額療養費の限度額適用認定証を持っている患者さんが、すでに病院での支払いで上限に達しています。薬局では一部負担金はもらわなくて大丈夫なの？

A 病院で限度額の上限に達した患者さんであっても、保険薬局では病院とは別に、月ごとの上限額まで一部負担金の徴収が必要です。

もっと詳しく

　上限額を超えた分の払い戻しについては、患者さんが加入されている医療保険によっては、「支給対象となります」と支給申請を勧められたり、さらには自動的に高額療養費を口座に振り込んでくれたりするところもあるようなので、詳しくは加入されている医療保険の保険者に相談することを勧めましょう。また、同じ薬局で処方箋を受け付けた場合であっても、処方箋発行元の医療機関が異なる場合は、**医療機関毎に**月ごとの上限額まで一部負担金の徴収が必要です。

Q 031 患者さんが隣の市に引っ越しされたため、保険者番号（国保）が変更になったのですが、有効期限内の「限度額適用認定証」を持っています。この場合、認定証は継続して使えるの？

A 転居する前の認定証は継続して使えません。国民健康保険の高額療養費の給付は市区町村ごとになるため「限度額適用認定証」も保険証と同様、新しい住居地で新たに発行されます。

もっと詳しく

　国民健康保険には、以下のルールがあります。

　平成30年4月調剤分からは、**同一都道府県での住所異動であり、かつ、世帯の継続性が保たれている場合**には、高額療養費の該当回数が通算されることになりました（多数該当の通算）。また、継続性が保たれている世帯が、**同一都道府県内に転居した月**については、引っ越し前の保険と、新しい居住地の保険における自己負担限度額が、**それぞれの2分の1**で計算されることになりました。

　国民健康保険の「限度額適用認定証」をお持ちの患者さんの場合、上記のルールが適用できますので、詳しくは加入されている医療保険（保険者）に相談することを勧めましょう。

＊「新たな国保制度における資格管理及び 高額療養費の取扱いについて」平成30年3月（厚生労働省保険局国民健康保険課）

POINT
月途中において保険者番号等の変更があった場合、それぞれ別のレセプト（調剤報酬明細書）を作成します。

「特定疾病療養受療証」という証明をお持ちの患者さんがみえたのですが、これはレセコンではどのように設定するの？

「特定疾病療養受療証」は、高額療養費制度の特例制度です。レセコンによって「長期高額」または、「02長（上限1万円）」、「16長2（上限2万円）」など、表現や設定箇所はさまざまですが、設定を行うことで患者さんの保険の1か月の自己負担が、1万円または2万円になります。

もっと詳しく ー・ー・ー・ー・ー・ー・ー・ー・ー・ー・ー・ー・ー

　厚生労働省指定の特定疾病（人工透析が必要な慢性腎不全や血友病など）の高額な治療を長期にわたり受ける必要がある患者さんは、申請することにより1か月の自己負担額が1万円または2万円になる「特定疾病療養受療証」が保険者から交付されます。

　オンライン資格確認システムで「特定疾病療養受療証」の情報を確認した場合、または窓口で患者さんから書面の提示を受けた場合には、特定疾病に係る治療における1か月の自己負担限度額を1万円または2万円として会計を行います。

　また、1か月の自己負担額が上限額（1万円または2万円）を超えた場合は、レセプト特記事項に「02長（上限1万円）」または「16長2（上限2万円）」の記載が必要です。そのためレセコンに設定を行う場合は、レセプトへの反映も併せて確認しましょう。

＊注意事項
「特定疾病療養受療証」は「保険」の制度のため、患者さんは「特定疾病療養受療証」以外に、国の公費や、地方自治体が実施している公費や医療助成制度を併用して利用されることが多いです。このような場合、患者さんが実際に窓口で支払う金額が少なくなったり、無料になったりすることもあります。

第4章

処方箋の見方

処方箋の受付手順

処方箋の様式

 処方箋ってなにか決まりがありますか？　A4サイズでもよいの？

 処方箋を交付する場合には、様式第二号もしくは様式第二号の二に準ずる様式の処方箋に必要な事項を記載しなければならないとされており、また用紙のサイズは日本工業規格Ａ列５番を標準とすることになっていて、原則A5サイズです。

保険医療機関及び保険医療養担当規則第23条

もっと詳しく

　処方箋とは、「医師が患者に対し治療上薬剤を調剤して投与する必要があると認めた場合に、患者又は現にその看護に当たっている者に対し交付するもの（医師法第22条）」です。また、医師法施行規則、薬剤師法、薬剤師法施行規則、健康保険法施行規則、保険医療機関及び保険医療養担当規則等に細かい規定がある私文書に該当し、偽造などを行うと私文書偽造罪（公立病院の医師が発行した処方箋であれば、公文書に該当し、公文書偽造罪）にあたる可能性があります。そのため、処方箋受付時には、処方箋が偽造されていないかについても確認する必要があります。

● 処方箋様式第二号と様式第二号の二の違いについて

■ 様式第二号：一般に使用されている処方箋様式

■ 様式第二号の二：分割指示ができる様式であり、右上に「分割指示に係る処方箋　＿分割の＿回目」の記載があり、別紙として「分割指示に係る処方箋（別紙）」がセットになっています。

　処方箋の様式は、巻末P302〜303に見本を掲載しているので、ご参照ください。

オンンライン診療の処方箋

Q FAX、メール等で送られてきた処方箋がオンライン診療による
002 ものかどうかわかりません。どのように確認すればよいのです
か？

A 医師がオンライン診療を行った際に発行される処方箋には、備
考欄に「情報通信」と記載することとされています。
令和6年3月27日保医発0327第5号

もっと詳しく ─ ∙─ ∙─ ∙─ ∙─ ∙─ ∙─ ∙─ ∙─ ∙─ ∙─ ∙─ ∙─ ∙─ ∙

　オンライン診療を受けた患者さんがオンライン服薬指導を希望する場
合は、処方箋に「オンライン対応」と記載し、オンライン診療後に薬局
に薬を取りに来る場合は備考欄に「情報通信」と記載しなければなりま
せん。

　しかしながら、「情報通信」の記載がない処方箋が発行されている場
合が多いようです。よって、なんの記載もない処方箋のFAX、メール
等が医療機関から薬局に届いた場合、通常の外来診療における処方箋な
のか、オンライン診療によって発行された処方箋なのかを判断すること
が困難な状況になります。通常の外来診療による場合は、来局時に処方
箋の原本と引き換えに調剤薬を交付する形となりますが、オンライン診
療の場合は、来局時に患者さんからの処方箋提出はなく、FAX、メール
等により送付された処方箋を薬剤師法（昭和35年法律第146号）第23条
から第27条まで及び医薬品、医療機器等の品質、有効性及び安全性の確
保等に関する法律（昭和35年法律第145号）第49条における処方箋とみ
なして調剤等を行うことができます。

　保険証やマイナンバーカード等を用いて患者本人であることの確認を
行ったうえで調剤薬を交付し、医療機関から処方箋の原本が送られてく
るまでの間、FAXやメール等を処方箋の原本として保管することになり
ます。送られてきた処方箋原本は、FAX、メール等で送付された処方箋
情報とともに保管してください。

　このように、通常の外来診療とオンライン診療の場合では、薬剤交付

時の対応が異なりますので、FAX、メール等で送付された処方箋の薬剤を患者さんに交付する時点で、患者さんから処方箋の原本の提出がない場合は、医療機関にオンライン診療かどうか確認したほうがよいと思われます。

　以下の厚生労働省からの告知も参考にしてください。

「オンライン服薬指導の実施要領について」（薬生発0930第1号令和4年9月30日）

https://www.mhlw.go.jp/content/000995230.pdf

「オンライン服薬指導における処方箋の取扱いについて」の改定について（厚生労働省医政局医事 課事務連絡令和4年9月30日）

https://www.mhlw.go.jp/content/000995232.pdf

保険証確認

 Q 003

保険証って確認しなくてはならないの？　コピーをとってもよいの？

 A

処方箋によって療養の給付を受ける資格があるかが確認できない場合は、患者さんに保険証の提示をお願いしていましたが、健康保険証の資格確認がオンラインで可能となっており、ほとんどの薬局では、保険証確認の必要性はなくなりました。

もっと詳しく

　2024年3月現在、オンライン資格確認を運用している薬局は95.6％となっており、マイナンバーカードの利用または、健康保険証の情報を入力すれば、システム上で保険証確認ができるようになっています。マイナンバーカードや健康保険証を使った、オンライン資格確認の流れについては、次ページの図を参照ください。

マイナンバーカードと健康保険証によるオンライン資格確認の流れ

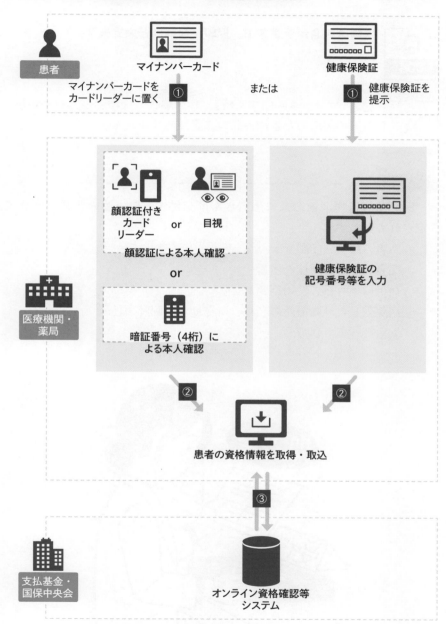

保険医氏名の手書き

Q **004** 保険医氏名が手書きで、押印がないけど大丈夫？

A 記名（プリンター印字・ゴム印）の場合には押印が必要ですが、直筆の署名のときは押印の必要はありません。
医師法施行規則第21条

もっと詳しく

　医師法施行規則第21条に患者さんに交付する処方箋の記載事項が規定されています。

- 患者の氏名、年齢
- 薬名、分量、用法、用量
- 発行の年月日、使用期間
- 病院若しくは診療所の名称、所在地又は医師の住所
- 記名押印または署名

保険医氏名と押印が違う

Q 005 保険医氏名と押印が違っています。どうしたらよいですか？

A 処方箋の不備になるので、疑義照会が必要となります。

もっと詳しく

　4章Q004のとおり、処方医名は記名押印または署名によって記載されており、記名の場合は押印が必要です。押印が記名と異なっている場合は、その処方箋の責任の所在が不明確となるため、疑義照会が必要となります。なお、医療機関が近隣の場合は処方箋を持参し訂正をお願いしたほうがよいでしょう。また、このような不備が続く場合は、処方医・処方箋発行機関に改善を申し入れることも必要です。

薬が減っているのに料金が上がった

Q 006 内服薬が減っているのに請求金額（一部負担金）が増えています。どうして？

A 調剤報酬は薬剤料のみではなく「調剤技術料」「薬学管理料」「薬剤料」の合計※であるため、用法が変わって剤が増えた場合などでは薬が減っても請求金額が増えることがあります。

※調剤報酬＝調剤技術料＋薬学管理料＋薬剤料（＋特定保険医療材料料）

もっと詳しく

１つの用法の中に２種類あった医薬品のうち、１種類が減量されて用

法が2つ（2剤）に増えた場合は、薬剤調製料及び調剤管理料が2つ算定されることになるので、薬価が低く、薬剤調製料及び調剤管理料の増加よりも薬剤料の減額が少ない場合などでは調剤報酬額が増える結果となることがあります。

例 調剤管理料を算定した場合

Rp.1　レスリン錠25mg　　　3錠

　　　　デパケン錠200mg　　　3錠

　　　　　　分3毎食後　　　　　　　　　30日分

の処方が、今回から

Rp.2　レスリン錠25mg　　　2錠

　　　　　　分2朝夕食後　　　　　　　　30日分

　　　　デパケン錠200mg　　　3錠

　　　　　　分3毎食後　　　　　　　　　30日分

に変更になったとします（レスリン錠が30錠減っています）。

［薬価（円）］　レスリン錠10mg：8.2　デパケン錠200mg：10.1

Rp.1　1日薬価：$8.2 \times 3 + 10.1 \times 3 = 54.9$円　　　5点

　　　　薬剤料　：5点×30日分　＝150点

　　　　薬剤調製料：1用法30日分　24点　　　　　　　　⎫

　　　　調剤管理料：1用法30日分　60点　合計84点　　　⎬234点

Rp.2　1日薬価（レスリン）：$8.2 \times 2 = 16.4$円　　2点

　　　　1日薬価（デパケン）：$10.1 \times 3 = 30.3$円　　3点

　　　　薬剤料　：2点×30日分＋3点×30日分　＝150点

　　　　薬剤調製料：2用法30日分　24点×2　　　　　　　⎫318点

　　　　調剤管理料：2用法30日分　60点×2　合計＝168点　⎭

となり、レスリンが30錠減量になったにもかかわらず、調剤報酬は差引84点の増加になり一部負担金としての請求金額（1〜3割負担）も増えることとなります。

＊薬剤料については1章Q081参照

処方箋の使用期間

処方箋の使用期間欄に日付が書いてあるけど、レセコン入力は
どうすればよいの？

処方箋の使用期間欄に交付日から4日を超えた使用期間が記載
してある場合でも、交付日を含めて4日以内の来局（調剤）で
あれば通常のレセコン入力方法で問題はありません。しかし、
使用期間内でも交付日を含めて4日を超えて来局された場合
は、レセコンの摘要欄に「使用期限〇月△日と記載有」などと
記載したほうがよいでしょう。

もっと詳しく ┈┈┈┈┈┈┈┈┈┈┈┈┈┈┈┈┈┈┈┈┈┈┈┈

　処方箋の使用期間欄は、ほとんどの場合、空白となっており小さい字
で「特に記載のある場合を除き、交付の日を含めて4日以内に保険薬局
に提出すること」と記載があるように、使用期間は発行日から4日以内
となります。

　医師は、患者が長期旅行などで延長を訴えた場合は使用期間を延長す
ること※ができ、使用期間欄に期限を記載します。このことから原則的
には“使用期間欄に記載がある＝医師が特殊な事情を認めた”ということ
になります。

　使用期間欄に記載があり、使用期間内でも交付日を含めて4日を超え
た処方箋を調剤した場合は、レセコンに交付日と調剤日の入力だけでは、
審査側はわからず期限切れ調剤と誤解されて査定される可能性がありま
すので、必ずレセプト摘要欄に使用期限を記載しましょう。

レセプト摘要欄の記載方法

	処方月日	調剤月日	処方
			医薬品名・規格・用量・剤形・用法
	4・10	4・17	【内服】1日1回朝食後 ノルバスク錠5mg　　　　　　1T
摘要			※有効期限（○月×日）と医師確認済　　× ※有効期限（○月×日）と記載有　　○

　上段の記載方法だと、疑義照会を行い延長したと誤解されます。下段の「有効期限（○月×日）と記載有」の記載をおすすめします。

● ※保険医療機関及び保険医療養担当規則　第20条の3のイ

処方箋の使用期間は、交付の日を含めて4日以内とする。ただし長期の旅行等特殊の事情があると認められる場合は、この限りでない。

負担割合の記載場所（6歳、高一、高7など）

 未就学者や、70歳以上の人の負担割合は、処方箋のどこを見れば確認できるの？

 処方箋の備考欄を見てみましょう。備考欄に以下のような記載をすることになっています。

「6歳」：未就学者

「高7」：高齢受給者または後期高齢者であり7割給付患者

「高8」：後期高齢者であり一般・低所得者の8割給付患者

「高9」：後期高齢者であり一般・低所得者の9割給付患者

「高一」：高齢受給者であり一般・低所得者

令和6年3月27日　保医発0327第5号

もっと詳しく ─・─・─・─・─・─・─・─・─・─・─・─・─

　記載間違い・変更もあるため、月に一度は保険証および受給者証を確認したほうがよいでしょう。

麻薬処方箋の記載事項

 Q 009 麻薬処方箋の記載事項は？　普通の処方箋とどこが違うの？

A 保険処方箋として記載しなくてはいけない事項のほかに「麻薬施用者の免許証の番号」と「患者の住所」が必要になります。

麻薬及び向精神薬取締法第27条、麻薬及び向精神薬取締法施行規則第9条の3

もっと詳しく ┈┈┈┈┈┈┈┈┈┈┈┈┈┈┈┈┈

　麻薬処方箋は、すべての医師が発行できるものではありません。都道府県知事から免許を受けた麻薬施用者（医師・歯科医師など）のみが交付することができます。以下は法規による記載事項になります。

- ●麻薬及び向精神薬取締法第27条の6
  - ■患者の氏名
  - ■麻薬の品名、分量、用法用量
  - ■麻薬施用者の氏名、免許の番号
  - ■記名押印または署名
- ●麻薬及び向精神薬取締法施行規則第9条の3
  - ■患者の住所
  - ■処方箋の使用期間
  - ■発行の年月日
  - ■麻薬事業者（病院・医院）の名称、所在地

POINT
麻薬処方箋の記載事項確認は、特に注意が必要です！

ニコチン依存症管理料

Q 010 処方箋の備考欄に「ニコチン依存症管理料に伴う処方である」と書いてあります。これはなんでしょうか？

A 禁煙治療の施設基準を満たした医療機関・医師の処方箋であり、保険適用になるという意味です。治療は12週間にわたり計5回、「ニコチン依存症管理料」内で行われ、処方箋の備考欄に「ニコチン依存症管理料に伴う処方である」などの文言を記載することとなっています。

平成30年3月26日　保医発0326第8号

もっと詳しく

　対象者は、医師がニコチン依存症の管理が必要であると認めた患者さんであり、以下の項目すべてに該当する必要があります。

　ア　「禁煙治療のための標準手順書」に記載されているニコチン依存症に係るスクリーニングテスト（TDS）で、ニコチン依存症と診断されたものであること。

　イ　35歳以上の者については、1日の喫煙本数に喫煙年数を乗じて得た数が200以上であるものであること。

　ウ　直ちに禁煙することを希望している患者であって、「禁煙治療のための標準手順書」に則った禁煙治療について説明を受け、当該治療を受けることを文書により同意しているものであること。

　対象の医薬品は、ニコチネルTTS（パッチ）とチャンピックス(内服)です。

　なお、ニコチンパッチには、OTC医薬品として薬局で販売されているものもあります。また、OTC医薬品にはニコチンガム製剤もあります。保険請求については、1章Q031を参照してください。

＊令和6年3月5日保医発0305第4号　別添1

医薬品を入力するための知識

【般】の意味

Q 011 医薬品名の前に【般】って書いてあるのはなんですか？

A 【般】とは、一般名処方の意味です。一般名処方の標準的な記載方法としては、【般】＋「一般的名称」＋「剤形」＋「含量」となります。
剤形：錠、カプセル、散、細粒、液など
含量：原薬量
厚生労働省HP

> **もっと詳しく**

処方欄に記載する医薬品名は、一般的名称に剤形及び含量を付加した記載（一般名処方）、または薬価基準に収載されている名称を用いることになっています。一般名処方の場合は、会社名（屋号）を記載しないことになっており、製造・販売会社を問わずその成分を含有する商品を薬剤師が選択して調剤することが可能です。

ただし、保険薬剤師及び保険薬局療養担当規則第8条に、「処方箋を発行した保険医等が後発医薬品への変更を認めているとき（一般名処方を含む）は、患者に対して後発医薬品に関する説明を適切に行い、後発品医薬品を調剤するように努めなければならない」と規定されており、一般名処方の際に後発医薬品を調剤しなかった場合には、その理由（レセプト電算コード※）を調剤報酬明細書の摘要欄へ記載することになっています。

なお、一般的名称は、添付文書における有効成分の一般的名称を基本としていますが、一部簡略化されたものもあります。

※巻末資料P333参照

例 メマリー錠20mg（メマンチン塩酸塩）

↓

【般】 メマンチン塩酸塩　錠　20mg

【般】＋ 一般的名称 ＋ 剤形 ＋ 含量

＊『新ビジュアル薬剤師実務シリーズ 下 調剤業務の基本[技能]第3版 処方箋受付から調剤、
監査までの病院・薬局の実務、在宅医療』羊土社　2017　（一部改変）

先発医薬品と後発医薬品

 先発医薬品や後発医薬品ってどういう規定なのでしょうか？
また、後発品率ってなに？

 先発医薬品：新しい効能や効果を有し、臨床試験（いわゆる治験）等により、その有効性や安全性が確認され、承認された医薬品です。後発医薬品：先発医薬品の特許が切れたあとに、先発医薬品と有効成分や規格等が同一で、治療学的に同等であるとして承認された医薬品（ジェネリック医薬品）です。後発品率とは、店舗での後発医薬品の使用割合のことです。

厚生労働省HP　薬価基準収載品目リスト及び後発医薬品に関する情報について

● もっと詳しく ━━━━━━━━━━━━━━━━━━━━━━━━

先発医薬品の中には、準先発品に区分されているものがあります。

◆ 準先発品：昭和42年以前に承認・薬価収載された医薬品（その後の剤形追加・規格追加等を含む）のうち、価格差のある後発医薬品があるもの（内服薬及び外用薬に限る）。

● 後発品率について

先発医薬品の中には、後発医薬品が存在しない場合があるため、後発品率は以下によって計算されます。

■後発品率の計算方法

　1：後発医薬品がない先発医薬品

　2：後発医薬品がある先発医薬品

　3：後発医薬品

　☆：2のうち、後発医薬品と同額または薬価が低いもの

　★：3のうち、先発医薬品と同額または薬価が高いもの

$$後発品率 = \frac{〔3で分類される品目の数量（★を除く）〕}{〔2で分類される品目の数量（☆を除く）〕+〔3で分類される品目の数量（★を除く）〕}$$

＊同一成分および同一剤形区分の品目がすべて「基礎的医薬品」の対象となった成分は除く

後発医薬品の処方なのに先発医薬品希望

後発医薬品が処方されているけど、患者さんが先発医薬品を希望しています。どうすればいいの？

まずは、後発医薬品を勧める努力をしてみましょう。後発医薬品に関する説明を適切に行い、それでも希望されない場合は医師に疑義照会をして、先発医薬品への変更許可をもらいましょう。

保険薬局及び保険薬剤師療養担当規則第8条

もっと詳しく ━━━━━━━━━━━━━━━━━━━━━━━━

　まずは、処方箋の変更不可欄のチェックの有無を確認します。

　チェック（✓または×）がある場合は、患者さんに「医師からこの後発医薬品を調剤するようにと指定されているのですが、先発医薬品に変更をご希望ですか？」「その場合、こちらで勝手に変更できないため、医師に電話等で確認する必要があります。お時間がかかりますがよろしいでしょうか？」などと確認するのがよいでしょう。

＊2章Q016参照

バルプロ酸Na徐放錠の一般名処方

バルプロ酸Na徐放錠の一般名処方は、どうして医師に確認が必要なの？

バルプロ酸Naには薬価基準に薬物動態の異なる3つの先発薬品が収載されていますが、そのうち徐放製剤の200mg錠については、一般名処方の際、明確な区別がない場合は、どちらの製剤を処方しているのかを医師に確認する必要があります。

もっと詳しく

バルプロ酸Naの分類

商品名	一般名	用法	半減期h（食後）
デパケン錠 100mg/200mg	バルプロ酸Na	1日2〜3回	7.92±1.78
デパケンR錠 100mg/200mg	バルプロ酸Na徐放錠	1日1〜2回	12.18±4.03
セレニカR錠 200mg/400mg	バルプロ酸Na徐放錠	1日1回	15.6±1.8

　上の表のように200mg徐放錠には、デパケンR錠とセレニカR錠がありますが、一般名処方の場合、どちらも【般】バルプロ酸Na徐放錠200mgという記載となり、区別がつきません。

　第18改正日本薬局方（令和3年6月7日）では、以下のように区別されていますので、後発医薬品によってはAとBを記載し区別しているものも存在します。

■バルプロ酸ナトリウム徐放錠A＝「デパケンR錠」の局方名
■バルプロ酸ナトリウム徐放錠B＝「セレニカR錠」の局方名

チラーヂンSとレボチロキシンNa「サンド」

Q 015　チラーヂンS錠とレボチロキシンNa錠「サンド」、どちらも先発医薬品でも後発医薬品でもないようです。薬価も同じなので、疑義照会なしで変更しても大丈夫ですか？

A　日本薬局方製剤であり、両薬品とも先発医薬品扱いになるため、変更する場合には疑義照会が必要となります。

もっと詳しく

　実際には、チラーヂンS錠は臨床試験等により、その有効性や安全性が確認され承認された医薬品であり（先発医薬品）、レボチロキシンNa錠は標準製剤と生物学的同等性試験のみを行い、治療学的に同等であるとして承認された医薬品（後発医薬品）にあたります。

　しかし、以前から日本薬局方に収載されていた医薬品は、あとから販売されたものでも先発医薬品扱いとされていたため、このような状況になっています。ほかにプレドニゾロン錠、エストリオール錠、トリヘキシフェニジル錠なども同様に先発医薬品扱いになっています（薬価基準に⑮と記載してあるものが日本薬局方品）。しかし、現在は日本薬局方に収載されている医薬品に対しても、後発医薬品が存在するようになっています。

変更調剤

Q 016 後発医薬品の内服薬が処方されているのですが、在庫がないので同じ成分で別の規格の医薬品に変更してもいいですか？

A 該当する医薬品（内服薬）について、処方箋の「変更不可」欄に「✓」または「×」が記載されていない場合は、患者さんに説明をして同意を得ることと、変更調剤後の薬剤料が変更前のものと比較して同額以下であるものに限り、含量規格が異なる後発医薬品への変更をすることができます。

平成24年3月5日　保医発第0305号第12号

もっと詳しく

　2010年4月1日より、後発医薬品の使用促進の一環として、一定の要件のもと、処方箋に記載された医薬品は、保険薬局において処方医に事前に確認することなく、含量違いまたは類似する別剤形の後発医薬品に変更して調剤すること（変更調剤）が認められるようになりました。

●変更調剤を行う際の留意点

　「後発医薬品への変更不可」欄に署名等のない処方箋を受け付けた場合において、

①変更調剤後の薬剤料が変更前と同額またはそれ以下であること 。

②患者に説明し同意を得ること。

を条件に、処方医に改めて確認することなく、処方箋に記載された先発医薬品または後発医薬品と含量規格が異なる後発医薬品への変更調剤※を認めるとされています。

　ただし、規格の違いにより効能・効果や用法・用量が異なる品目については、対象外となります。また、類似する別剤形への変更は、次の各号に掲げる分類の範囲内でのみ可能です（ただし、先発医薬品と後発医薬品との間で同等性が確認されている範囲での変更に限る）。

ア　錠剤（普通錠）、錠剤（口腔内崩壊錠）、カプセル剤、丸剤

イ　散剤、顆粒剤、細粒剤、末剤、ドライシロップ剤（内服用固形剤と

　して調剤する場合に限る）

ウ　液剤、シロップ剤、ドライシロップ剤（内服用液剤として調剤する
　　場合に限る）

※処方箋に記載された先発医薬品の10mg錠１錠に代えて後発医薬品の５mg錠２錠を調剤する。

　なお、外用薬は、処方医への確認を要しない変更調剤の対象外です。

●臨時的な措置

　2024年３月15日から「現下の医療用医薬品の供給状況における変更調
剤の取扱いについて」が発出され、医薬品の入手が限定されること等に
より必要量が用意できないようなやむを得ない状況においては、当面の
間、薬剤師の判断で下記の取扱いが可能となりました。

●後発医薬品の銘柄処方において、先発医薬品（含量規格が異なるもの
　又は類似する別剤形のものを含む。）を調剤することができる

●変更調剤において以下の①②の場合については、薬剤料が変更前のも
　のを超える場合であっても、患者の同意を得ることで変更調剤を行う
　ことができる。

①含量規格が異なる後発医薬品または別剤形の後発医薬品への変更調剤。

②内服薬のうち、上記アとイの分類間の別剤形（含量規格が異なる場合
　を含む）の医薬品への変更調剤（例：アに該当する錠剤をイに該当す
　る散剤への変更調剤）。

＊令和６年３月15日事務連絡（厚生労働省保険局医療課）

POINT

アーチスト錠やメインテート錠などは規格によって効能・効
果が異なるので注意が必要です。

後発医薬品のお試し

ジェネリック医薬品に不安のある患者さんに、お試しで勧めることはできるの？

処方箋の「変更不可」欄に「✓」または「×」が記載されていなければ分割調剤（調剤期間を分割して調剤すること）を行い、お試し期間を設けることが可能です。

令和6年3月5日　保医発0305第4号　別添3

もっと詳しく

　後発医薬品に対する患者さんの不安を和らげるために、初めて先発医薬品から後発医薬品に変更して調剤する際には、薬局において患者さんの同意を得たうえで、後発医薬品を試せるように調剤期間を分割して調剤を行うことができます。

■ 2回目の調剤を行う際には、先発医薬品から後発医薬品への変更による患者さんの体調の変化、副作用が疑われる症状の有無等を確認するとともに、患者さんの意向を踏まえ、後発医薬品の調剤または先発医薬品の調剤を行います。なお、その際に、所定の要件を満たせば、調剤管理料、服薬管理指導料、外来服薬支援料2を算定することができます。

■ 分割調剤を行った場合には、薬局から保険医療機関等にその旨を連絡するとともに、分割理由等、必要な事項を調剤録等に記入します。また、2回目に変更前の先発医薬品に戻す場合も同様に、保険医療機関等への連絡と理由の記入を行います。分割調剤については、詳しくは1章Q005を参照してください。

選定療養

先発医薬品を選ぶと負担が増えるの？

令和6年10月1日から選定療養として、後発医薬品の上市後5年以上経過したもの（長期収載品）または後発医薬品の置換率が50％以上となったものを対象に、後発医薬品の最高価格帯との価格差の1／4相当分が自己負担となります。

もっと詳しく

> 例）A製剤（先発医薬品）　薬価500円　後発医薬品　薬価250円、
> 　　3割負担の場合
> 10月1日からの負担額：(500-250)×1／4×1.1(消費税)＋
> 　　　　　　　　　　　　{250＋(500-250)×3／4}×0.3＝200円
> 9月30日までの負担額：500×0.3＝150円
> ●選定療養に係る費用として50円自己負担額が増えます。

　①銘柄名処方の場合であって、患者希望により長期収載品を処方・調剤した場合や、②一般名処方の場合は、選定療養の対象となりますが、①医療上の必要性があると認められる場合（例：医療上の必要性により医師が銘柄名処方（後発品への変更不可）をした場合）や、②薬局に後発医薬品の在庫がない場合など、後発医薬品を提供することが困難な場合については選定療養とはせず、引き続き保険給付の対象となります。

　「選定療養」とは、平成18年10月1日より保険給付の対象とすべきものであるか否かについて適正な医療の効率的な提供を図る観点から、特別の病室の提供など被保険者の選定により発生する医療費の自己負担制度です。

処方箋の処方欄

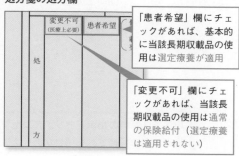

「患者希望」欄にチェックがあれば、基本的に当該長期収載品の使用は選定療養が適用

「変更不可」欄にチェックがあれば、当該長期収載品の使用は通常の保険給付（選定療養は適用されない）

Q 019 用法に「医師の指示どおり」という記載のある処方箋を受け付けました。そのまま入力してよいですか？

医療事故を未然に防止し、適切な薬物療法が行われるためには、処方箋に用法・用量が記載されている必要があり、記載に不備がある場合には薬剤師が疑義照会を行わなければなりません。過去の個別指導による主な指摘事項として、不適切な記載として疑義照会を行うこととされています。

もっと詳しく

医師は、処方箋に「用法」を記載しなければならないことになっています（医師法施行規則第21条）。

また、「薬剤師は、処方箋中に疑わしい点があるときは、その処方箋を交付した医師、歯科医師又は獣医師に問い合わせて、その疑わしい点を確かめた後でなければ、これによって調剤してはならない（薬剤師法第24条）」とされています。さらに、薬剤師法第25条では、「薬剤の容器又は被包に「用法」を記載しなければならない」とされています。

たとえ医師が患者さんに薬の用法を伝えていたとしても、処方箋にも用法を記載する必要があります。また、医師の説明を勘違いしていて、正しく伝わっていないことによる医療事故も発生しています。このような医療事故を未然に防止するためにも薬剤師が医師と患者さんの間に入り、適切な服用方法を確認し、指導する必要があります。

用法の記載がない処方箋、あるいは用法が不明確な処方箋を受け付けた場合は、必ず薬剤師を通して疑義照会を行ってもらいましょう。

POINT
用法を「医師の指示どおり」でレセプト請求を行うと、個別指導などで指摘される場合があります。

2次元バーコードの読み間違いの修正

2次元バーコードで読み取った医薬品と、処方箋に記載されている医薬品名が違うのですが、どうやって修正すればいいですか？

2次元バーコードは、JAHISの規定に基づきYJコードまたはレセ電算コードで紐づけされています。薬局、あるいは医療機関の医薬品マスタのコードに誤りがあるのかもしれません。原因がわからない場合は、入力時に医薬名の変更を行いましょう。

もっと詳しく ─

　院外処方箋2次元シンボル記録条件規約では、2次元バーコードは院外処方箋の情報を電子化することにより、

①院外処方薬の改ざん検知　②調剤過誤の防止

③正確な点数計算　④保険薬局における事務効率の向上

　を目的としています。2003年より医事コンピュータ部会調剤システム委員会処方情報分科会が中心となり、日本薬剤師会と意見交換を行いながら作成されました。

● YJコード（12桁のコード）について

■ 薬価基準収載医薬品コード：官報での薬価基準の告示名称1つに対して1つ設定される。なお、統一名収載品目は個々の商品名では官報に告示されず「統一名収載品目の一般名称」として官報に告示。

■ YJコード：統一名収載品目の個々の商品に別々のコードを設定。

薬価基準収載医薬品コード≠YJコード

＊JAHIS　HP

よくある質問と対応方法

薬の在庫がないときの対応

 薬局に在庫がない薬の処方箋が来ました。調剤を断ってもいいの？

 薬剤師法第21条に「調剤に従事する薬剤師は、調剤の求めがあった場合には、正当な理由がなければ、これを拒んではならない」と規定されています。薬の在庫がないというのは正当な理由にはあたりませんので、調剤は断れません。

もっと詳しく

　調剤は薬剤師の独占業務であり、一部の例外（医師等が自ら調剤をする場合など）を除いて薬剤師以外の人が販売または授与の目的で調剤をすることはできません（薬剤師法第19条）。そのかわり、調剤に従事する薬剤師は調剤の求めがあった場合には、正当な理由がなければこれを拒むことはできないとされています（薬剤師法第21条）。

　なお、正当な理由とは　「薬局業務運営ガイドライン」（平成5年4月30日薬発第408号薬務局長通知）に以下のような記載があります。

> 　処方箋を拒否することが認められる場合としては、以下のような場合が該当しますが、やむを得ず断る場合には、患者さん等にその理由をよく説明し、適切な調剤が受けられるよう措置します。
>
> 　なお、処方医薬品がその薬局に備蓄されていないことを理由とした拒否は認められません。
>
> ア　処方箋の内容に疑義があるが処方医師（又は医療機関）に連絡がつかず疑義照会ができない場合。但し、当該処方箋の患者が薬局の近隣の患者の場合は処方箋を預かり、後刻処方医師に疑義照会して調剤すること。
>
> イ　冠婚葬祭、急病等で薬剤師が不在の場合。

　ウ　患者の症状等から早急に調剤薬を交付する必要があるが、医薬品の調達に時間を要する場合。但し、この場合は**即時調剤可能な薬局を責任をもって紹介すること**。

　エ　災害、事故などにより、物理的に調剤が不可能な場合。

　また、正当な理由がなく恒常的に処方箋応需を拒否する薬局については、患者さんに迷惑をかけ、薬局に対する国民の信頼を裏切るとともに、薬局、薬剤師に求められている使命、社会的役割を自ら放棄するものですから、他の医薬品販売業へ転換することが望ましいとされています。

「在庫がない薬はいらない」といわれた

 在庫がない薬を含む処方箋を持参した患者さんが来局。「在庫のない薬はいらない、それ以外の薬だけもらえればいい」といわれたけど、どうしたらいいの？

 処方箋に記載されている医薬品の一部を除いて調剤することはできません。在庫がない薬を取り寄せて調剤する必要があります。

もっと詳しく

　処方箋は、有効期間内（原則的に交付の日を含めて4日以内）に「調剤済み」にする必要があります（分割調剤をした場合を除く）。

　また、同一処方上の医薬品を複数の薬局が分担して調剤することも認められていません。

　そのため、薬局にて完結する必要があり、4章Q021Ａのとおり、近隣の薬局または卸から取り寄せ、当日入荷できない場合は後日来局してもらうか、服薬指導後に患者さんの了承のもとで郵送等を行うことになります。

「この薬だけほしい」と言われた

Q 023 複数の薬が処方されていますが、この薬だけほしい（ほかの薬はいらない）といわれました。どうしたらいいの？

A 薬局の判断で勝手に処方内容を変更することはできません。なんらかの理由で処方された医薬品のなかで一部の薬が必要ないと患者さんからの申し出があった場合には、処方医に疑義照会して処方変更の許可を得なければなりません（残薬調整の場合は、保険医療機関への情報提供のみでよいケースもある）。

もっと詳しく

　薬剤師法第23条の2では、「薬剤師は、処方箋に記載された医薬品につき、その処方箋を交付した医師、歯科医師又は獣医師の同意を得た場合を除くほか、これを変更して調剤してはならない」とされており、処方された医薬品の一部を変更する場合にも医師の同意が必要です。

　今回のケースの場合、薬剤師はこの薬だけほしい理由を確認する必要があります（残薬の状況を含む服薬状況の確認）。残薬の状況が確認された場合は、その理由も把握し、投与される薬剤の適正使用のために必要な服薬指導を行う必要があります。また、残薬が相当数認められる場合は、処方医に対し連絡し、投与日数等の確認を行うよう努めることとなっています。

＊令和6年3月5日　保医発0305第4号　別添3

　処方箋備考欄の「保険薬局が調剤時に残薬を確認した場合の対応」について「保険医療機関への情報提供」に「✓」または「×」のチェックがある場合は事後報告でも可能です。

＊厚生労働省資料　平成28年度診療報酬改定　医薬品の適正使用促進⑤

1日量処方と1回量処方の違い

1日量処方と1回量処方の違いがわかりません。

1日量とは、その医薬品を1日に服用する量の合計（1日の総量）を表したものであり、1回量とは、服用時点（朝、昼、夕など）毎の1回あたりに服用する量を記載したものになります。

もっと詳しく ─────────────────────────────

1回量処方とは、「分量」を1日量ではなく、1回量で記載する方法です。

● **1回量表記の例**

例 レバミピド錠100mg　<u>1回1錠</u>（1日3錠）
　　1日3回　朝昼夕食後　14日分

上記の処方の場合、1回量は1錠であり（下線部分が1回量）、1日量は3錠になります（カッコ内が1日量）。

なお、分量の記載方法は、以下のようになっています。

■ 内服薬と屯服薬は1回分の量を記載

■ 内服用滴剤、注射薬、外用薬は投与総量を記載

2010年1月に「内服薬処方箋の記載方法の在り方に関する検討会」の報告書が公表され、「分量」については、最小基本単位である1回量を記載することを基本とする。とされましたが、1回量記載のみによる調剤事故等も発生し、1日量と併記するに留まっているのが現状です。

＊『謎解きで学ぶ 薬学生・新人薬剤師のための処方解析入門〔改訂版〕』。上村直樹 監、根岸健一 編、薬ゼミファーマブック

POINT
処方箋によっては、1日量の記載なのか、1回量の記載なのか、よく見ないとわからないものがあります。特に、見慣れない処方箋を受け付けた場合は注意が必要です！

力価、製剤量、原薬量の違い

力価、製剤量、原薬量の違いがわかりません。計算もできません。どうしたらいい？

散剤や液剤の分量の書き方として、「製剤量」は、その医薬品を計りとる量になりますが、「力価」とは、その薬の強さを表す用語です。また、「原薬量」は、薬のなかの有効成分の量（成分量）になります。したがって、力価と原薬量の場合は、製剤量に換算してレセコンに入力する必要があります。

もっと詳しく

　散剤や液剤の分量は、製剤量で記載することを基本としています。処方箋に薬の量を原薬量（成分量）で記載した場合には、わかるように「原薬量」と記載することになっています。力価についてMSDマニュアル家庭版では、「力価とは、痛みの緩和や血圧の降下といった一定の効果を発揮するのに必要な薬の量（通常はミリグラムで表記）に基づいた薬の強さを表す用語です。例えば、5ミリグラムの薬Aが10ミリグラムの薬Bと同じくらい効果的に痛みを緩和する場合、薬Aは薬Bの2倍の力価があるということです」と説明しています。抗生物質や生物学的製剤では、同じ力価を示す重量が製造者により異なることがあるため、このような用語で薬の量を示すことがあります。

　例 カルバマゼピン細粒50%　0.8g（製剤量）の場合、製剤量は0.8gで、原薬量は0.4gになります。

　計算方法は、100%：50%＝0.8g：0.4gの関係より（内項の積＝外項の積）

　製剤量＝（0.4g×1.00（100%））÷0.50（50%）＝0.8g

　原薬量＝（0.8×0.50（50%））÷1（100%）＝0.4g

　結論的に、

　製剤量＝原薬量÷（製剤の％／100）

　原薬量＝製剤量×（製剤の％／100）

　の計算式になります。

「n.d.e、v.d.e、v.d.s」の意味

用法にn.d.e、v.d.e、v.d.sとか書いてあるけど、これはなんですか？

n.d.e、v.d.e、v.d.sは、それぞれ毎食後、毎食前、就寝前のドイツ語の略語になります。現在、処方箋はほとんどがプリンターで印字されていますが、まれに手書きの処方箋を受け付けると、このような略号で書かれたものを見ることがあります。

もっと詳しく

　日本の医療は、明治時代に従来のオランダ医学に代わってドイツ医学の導入が行われたため、ドイツ語で教育された歴史があります。「カルテ（診療録）」「クランケ（患者）」もドイツ語です。また、解剖学用語は基本的にラテン語であり、第二次世界大戦後はアメリカ文化が入ったため、現在の医療現場は日本語・ドイツ語・英語・ラテン語が混在しています。さらに患者のカルテを簡便に書くために医療用略語が使用されており、それが処方箋にも使用されることがあるため、とても複雑になっています。

処方箋に使用される主な略語

用語	略語		
1日1回	1×　分1　s.i.d(semel in die) ラ		
1日2回	2×　分2　b.i.d(bis in die) ラ		
1日3回	3×　分3　t.i.d(ter in die) ラ		
食　前	a.c.(ante cibos) ラ	v.d.E(vor dem Essen) 独	
食　間	i.c.(inter cibos) ラ	z.d.E(zwischen dem Essen) 独	
食　後	p.c.(post cibos) ラ	n.d.E(nach dem Essen) 独	
就寝前	h.s.(hora somni) ラ	v.d.S(vor dem Schlafengehen) 独	
朝	m.(mane) ラ	M(Morgen) 独	
昼	T(Tag) 独		
夕	A(Abend) 独		
処　方	Rp(recipe) 英		
～日分	～TD(tage dosen) 独		

ラ: ラテン語　独: ドイツ語　英: 英語

FAXによる処方箋受付

 FAXで受け付けた処方箋の注意点を教えてください。

 FAX処方箋による調剤は、厳密には薬剤師法第23条に規定される「処方箋による調剤」に該当しません。しかし、平成元年通知により処方箋の受領・原本確認によりさかのぼって調剤したとみなされ可能となりました。処方箋原本とFAXの照合は薬剤師の重要な業務となります。

平成元年11月15日　薬企第48号、保険発第107号

もっと詳しく ─・─・─・─・─・─・─・─・─・─・─・─・─・─・─・─

　薬剤師法第23条「処方箋による調剤」では、「薬剤師は、医師、歯科医師又は獣医師の処方箋によらなければ、販売又は授与の目的で調剤してはならない（一部抜粋）」とあり、原則的に処方箋原本を受け付けなければ、処方箋による調剤とはみなされず、薬剤師法違反となります。よって、平成元年の通知が出るまでは、調剤を行うには処方箋の原本が必要でありFAXによる調剤は認められていませんでした。

　また、2章Q017のように患家での薬剤の受渡についても「患家において、処方箋がファクシミリで電送されたものと同一であることを確認すること」とされ、**処方箋の原本との確認が必須**となっています。

4日以上前の処方箋持参

Q 028 4日以上前に発行された処方箋を持って来局されました。どう対処すればよいでしょうか？

A まずは処方箋の使用期間欄を確認しましょう。なにも記載がなければ使用期限切れのため、無効となります。なお、「処方箋の交付の日を含めて4日以内」の数え方は日曜・祝日の休日も含めて数えます。

──── **もっと詳しく** ─・─・─・─・─・─・─・─・─・─・─・─

　使用期限切れの処方箋は無効となっているため、受け付けることができません。原則として疑義照会をしても期間を延長できないことになっています。なお、処方箋が再発行になった場合は、再発行にかかる費用は保険請求が認められず、全額患者さんの自己負担となります。

　しかし、ほとんどの患者さんは処方箋の使用期限が交付の日を含めて4日以内であるということを把握していないのが現状です（平成22年3月30日総評相第79号「薬の処方せんの使用期間の徒過の防止について（あっせん）」）。そのため、対応次第では薬局のクレームにつながってしまうので、注意しましょう。

```
┌─────────────────────────────┐
│ 20日に処方箋を発行してもらった場合 │
└─────────────────────────────┘
```

20日(土)	21日(日)	22日(月・祝)	23日(火)	24日(水)

──────────────────────→　　✕

└─── 発行日を含めて4日間(日・祝日含む) ───┘

入院中の患者の処方箋受付

入院している患者さんが処方箋を持ってきました。どうすればいいの？

DPC算定病棟に入院している患者さん以外であれば、入院している医療機関以外の医療機関を受診して、保険調剤を受けることが認められています。ただし、入院している医療機関によって、薬局で算定できる範囲が異なるので注意が必要です。

もっと詳しく

　昭和50年1月24日保医発第2号「処方箋に関する取扱いについて」では、「入院している被保険者等に対する院外処方箋の交付については、通常診断治療全般について入院した保険医療機関で行われることを承諾し、薬剤の調剤もその保険医療機関で行ってもらう意思を有するものと推定されるので、特別の事由のない限り処方箋を交付する必要はないものであり、したがって、入院している被保険者等に関する処方箋料の請求は原則としてあり得ないものであること」とされています。

　現在でもこの考え方に基づき、入院中の患者さんが入院中の医療機関以外での診療が必要となった場合は、転医（別の医院に変更）または対診（担当医師の依頼により別の医療機関から入院先に出向いて保険診療を行う）を求めるという取り扱いが原則とされ、転医または対診が不可能・非現実的な場合に「他医療機関受診」を検討することになります。そのため、入院中の院外処方については、入院している医療機関による制限もあり、とても複雑なしくみとなっています。

　なお、入院中の患者さんに処方箋を交付する場合には、処方箋の備考欄に下記の3点を記載することになっています。

①入院中の患者である旨
②入院医療機関の名称
③出来高入院料を算定している患者であるか否か

　保険薬局で調剤した場合にも、薬局のレセプト（調剤報酬明細書）の

摘要欄に①～③の内容を記載しましょう。

＊全国保険医団体連合会「保険診療の手引」

オンライン診療による緊急避妊薬

Q 030 オンライン診療によって発行された緊急避妊薬の処方箋を受け付けましたが、調剤しても構わないのでしょうか？

A 厚生労働省のホームページにある「オンライン診療に係る緊急避妊薬の調剤が対応可能な薬局及び薬剤師の一覧」に薬局および調剤を行う薬剤師が登録されていれば、販売可能です。

もっと詳しく

　オンライン診療に基づく緊急避妊薬を調剤できるのは、『「オンライン診療の適切な実施に関する指針」を踏まえた緊急避妊に係る診療の提供体制整備に関する薬剤師の研修』を受講し、受講した薬剤師および従事先の薬局に関して、オンライン診療に基づき緊急避妊薬の調剤が対応可能な薬剤師及び薬局の一覧として厚生労働省のホームページに公表されている薬局・薬剤師に限られます。

　公表されていない薬局および公表されていない薬剤師が調剤することはできません。

　なお、緊急避妊薬は薬価未収載のため、販売価格は薬局で設定します。※2024年6月時点で行われている「緊急避妊薬販売に係る環境整備のための調査事業」における試験販売は、国（厚生労働省）からの委託を受けた調査研究参加薬局でのみ販売可能とされており、研究参加薬局以外の薬局において処方箋なしで販売できるものではありません。

お金を払わない患者への対応

 毎回、お金を払ってもらえない患者さんの処方箋は断れるの？

 未収金は正当な理由にあたらないため、調剤を断ることはできません（4章Q021参照）。

もっと詳しく — · — · — · — · — · — · — · — · — · — · — · — · — · — · — ·

　調剤を受けるということは、一般的に薬剤師と患者さんの間には調剤の契約が成立し、薬剤師は調剤を行い、患者さんはその料金を支払うことが契約内容となります。一般の商取引では、料金を支払わなければ、商品やサービスを提供する必要はありませんし、拒絶することもできます。しかし、薬局では4章Q021で示したとおり、お金を払わないということが、薬剤師法第21条の正当な理由に該当しないため、断ることはできません。

　また、医師も同様に応招義務があり、料金未収患者を断ることができませんでした。しかし、医療提供体制の変化や医師の働き方改革といった観点もふまえて新たに通知（令和元年12月25日医政発1225第4号）が発出され、患者を診療しないことが正当化される事例の整理がなされました。

●患者を診療しないことが正当化される事例の整理（一部抜粋）

①患者の迷惑行為

　診療・療養等において生じたまたは生じている迷惑行為の態様に照らし、診療の基礎となる信頼関係が喪失している場合※には、新たな診療を行わないことが正当化される。

②医療費不払い

※診療内容そのものと関係ないクレーム等を繰り返し続ける場合

　以前に医療費の不払いがあったとしても、そのことのみをもって診療しないことは正当化されない。しかし、支払い能力があるのに

> もかかわらず悪意をもってあえて支払わない場合などには、診療しないことが正当化される。

　薬剤師の調剤拒否の正当な理由にも同様の通知発出が期待されましたが、4年経った現在においても、発出はされていません。

未収金の回収

 未収金を患者さんから回収できません。どうすればいいの？

 未収金の回収には時効があるため、発生直後から徹底した督促と回収を行う必要があります。また、未収金の管理台帳の作成や督促等の記録の作成も必要です。

もっと詳しく ー・ー・ー・ー・ー・ー・ー・ー・ー・ー・ー・ー・ー・ー

　未収金は発生させないことがベストですが、4章Q021のとおり、お金を持っていなくとも調剤を断ることができないことなどもあり、薬局では少なからず発生するものです。以下に未収金回収の方法と時効について記載しているので参考にしてください。

● 未収金の回収の方法について（例示）

　まずは、未収金が発生した時点で、支払いの誓約書を記載してもらい、未収金の管理台帳等を作成します。来局予定日（支払日）の確認、あるいは入金の場合は支払期日の翌日に入金の確認をします。入金状況については管理台帳等へ記録しましょう。

　支払期日の翌日までに入金がない場合には、その後、入金があるまで以下の定期的な督促等を行います。また、その行動記録を管理台帳等へ記録します。

①支払期日経過後1週間以内に、患者へ書留にて支払いの確認を行う（誓約書コピーを同封）。

②支払期日経過後1か月以内に、電話にて確認を行う（送金確認または送金予定日等を確認）。

③支払期日経過後、毎月1回は電話にて支払い督促を行う。また、2か月に1回は書留にて支払督促を行う。

　未収金については、**定期的な管理と継続的な督促（電話・手紙など）**が重要。また、**管理台帳等への行動記録も大切です。**

④それでも支払いがない場合は、内容証明郵便を出す（内容証明とは、いつ、いかなる内容の文書を誰から誰宛てに出されたかを、差出人が作成した謄本によって郵政グループが証明する制度）。

⑤返答がなければ、法的手段をとる旨を通告する。

　実際の法的手段には下記のような少額訴訟、民事訴訟などがある。

● **少額訴訟　裁判所HP　より（一部抜粋）**

■ 1回の期日で審理を終えて判決することを原則とする。

■ 60万円以下の金銭の支払いを求める場合に限る。

■ 控訴はできない。

　また、保険者徴収というものもありますが、60万円を超える場合となっています。

＊近畿運輸局「医療費未払い対策マニュアル」
＊京都府保険医協会HP「厚労省が未収金の保険者徴収でモデル事業」

● **時効について**

　旧民法第170条には、「医師、助産師又は薬剤師の診察、助産又は調剤に関する債権は、3年間行使しないときは、消滅する」という規定がありましたが、令和2年4月1日の民法の一部改正施行により同170条が削除され第166条に統一されました（一部抜粋）。

　1．債権は、次に掲げる場合には、時効によって消滅する。

　一　債権者が権利を行使することができることを知った時から5年間行使しないとき。

　二　権利を行使することができる時から10年間行使しないとき。

処方箋に書き込みがある場合

 Q 033 処方箋に患者さんがなにか自分で書いてきてしまいました。どうしたらいいの？

 A 法律上処方箋を発行できるのは医師、歯科医師、獣医師のみです。処方箋への記入に関しても各法律による規定があり、患者さんが書いたのであれば、私文書偽造（刑法第159条）（公立病院の医師の発行した処方箋であれば、公文書偽造（刑法155条））にあたります。まずは疑義照会をし、書き込みをしたことが判明した場合は、調剤をせず、警察に連絡する必要があります。

もっと詳しく

　薬剤師法第24条では、「薬剤師は、処方箋中に疑わしい点があるときは、その処方箋を交付した医師、歯科医師又は獣医師に問い合わせて、その疑わしい点を確かめた後でなければ、これによって調剤してはならない」と規定されています。まずは医師に疑義照会をして、患者さんが記入したものであるかを確認しましょう。

　処方箋は法律上、私文書または公文書にあたるため、患者さんが勝手に訂正などを行えば偽造となります。そのため、警察に連絡をする必要があります。あわせて保健所や保健センター等の行政、薬剤師会などにも連絡を入れておきましょう。

POINT
患者さんによっては、処方箋の重要性をご理解されていない場合があります。調剤をする側から重要性をお伝えすることはとても大切なことです。

分割調剤、来局遅延により投与日数減

Q 034 分割調剤をして、次回（2回目以降）のときに、薬がなくなっても取りに行かないと薬の数が減らされるってほんと？

A 処方箋には使用期間があり、分割調剤のときでも適用されるので、来局が遅れた日数分の薬がもらえなくなる可能性があります。

令和6年3月5日　保医発0305第4号　別添3

もっと詳しく

　分割調剤において、調剤薬の総量は処方箋に記載された総量を超えられません。また、第2回目以後の調剤においては使用期間の日数（ただし、処方箋交付の日を含めて4日を超える場合は4日とする）と用量（日分）に示された日数との和から第1調剤日から起算して当該調剤日までの日数を差し引いた日分を超えては交付できないとされています。

例

　4月3日交付　処方箋（使用期間4日）　用量10日分の処方薬
第1回目調剤：4月4日　5日分
➡第2回目：4月10日に来た場合、
　$(10[日分]+4)-7日(4/10-4/3)=7$
　残りの5日分を交付してOK。
➡第2回目：4月13日に来た場合、
　$(10[日分]+4)-10日(4/13-4/3)=4$
　4日分しか交付できない。

処方箋を調剤済みにする

Q 035　処方箋を「調剤済み」にするにはどうすればいいの？

A　処方箋を調剤済みにするためには、「調剤済み」の旨、調剤年月日、調剤した薬局の名称及び所在地、及び疑義照会をした場合はその内容（変更内容、変更がなかった場合は回答の内容）を記載し、記名押印（または署名）が必要になります。

薬剤師法第26条、薬剤師法施行規則第15条

もっと詳しく — ・ — ・ — ・ — ・ — ・ — ・ — ・ — ・ — ・ — ・ — ・ — ・ —

　薬局印などのゴム印を処方箋に事務的に押していることもあるでしょう。しかし、調剤済みの処方箋に記載すべき事項は、薬剤師法及び施行規則によって規定されています。印が抜けていたり、文字が欠けていたりすることは、調剤済みになっていないと判断され、場合によっては法律違反となる可能性もあります。処方箋は私文書にあたり、記載も各種法律等によって規定されています。必要性を十分に理解したうえで、業務にあたりましょう。

プロトコール

Q 036 プロトコールってなんですか？ 疑義照会しなくていいの？

A プロトコールとは、「院外処方箋における疑義照会簡素化のプロトコール」のことで、大病院などで、薬局とあらかじめ合意書を交わすことにより、院外処方箋に係る個別の処方医への同意確認を不要とする契約を結ぶことです。

もっと詳しく ━━━━━━━━━━━━━━━━━━━━━━━━━━━━━━━━━━━

　プロトコール（事前の取り決め）はもともと「プロトコールに基づく薬物治療管理」Protocol Based Pharmacotherapy Management の頭文字を取ってPBPMといわれ、薬物治療管理がメインでしたが、令和4年度調剤報酬改にて薬局薬剤師の業務効率化がうたわれ「疑義照会の簡素化プロトコール」へ意味合いが変化してきました。

　令和4年7月11日薬局薬剤師の業務及び薬局の機能に関するワーキンググループの中では、「問合せ簡素化のプロトコールによる業務効率化は、医療機関の医師や薬剤師等の業務負担の軽減や、患者が必要な医薬品を速やかに受け取ることが可能となるなどの利点がある、病院薬剤師との連携（薬薬連携）の好事例である。このため、地域の薬剤師会が中心となり、病院薬剤師等と連携しながらその導入を推進していくべきである」とされました。

　ただし、近隣の医療機関と自薬局のみで独自に申し合わせを行うような行為はPBPMに該当しません。

● **PBPMによる疑義照会簡素化の例**

■ 成分が同一である医薬品に対しては、先発医薬品同士でも疑義照会せずに変更することができる。

例「ジャヌビア錠」の処方に対し、成分が同一の先発医薬品である「グラクティブ錠」に変更することができる。

倍量処方の疑い

Q 037 倍量処方ってなんですか？　どうすればよいの？

A 倍量処方とは、投与日数制限のある医薬品に対し、1日量を実際の使用量の2倍以上処方することにより、実質の投与日数を延長するものです。このようなことは当然、認められません。もし、倍量処方が疑われた場合は、処方医に確認してください。

もっと詳しく　-–-–-–-–-–-–-–-–-–-–-–-–

　向精神薬は、30日分までの投与日数制限がある医薬品が多数あります。ほかの薬が60日分処方されている場合でも、投与日数制限のある向精神薬などでは、その投与日数までしか処方できないので（船員保険を除く）、再度、診察を受けて処方してもらう必要があります。

　なお、厚生労働省保険局医療課医療指導監査室発行「保険調剤の理解のために（令和5年度）」では、**不適切な処方の具体例**として「倍量処方が疑われる医薬品の処方」として指摘されています。

> 例
>
> 倍量処方が疑われる医薬品の処方例
>
> 例1
>
> 　Rp.1　ブロチゾラム錠0.25mg　2錠　1日1回就寝前　28日分
>
> 　Rp.2　他剤が56日分
>
> 例2
>
> 　Rp.1　マイスリー錠10mg　1錠　1日1回就寝前　30日分
>
> 　Rp.2　マイスリー錠10mg　1錠　不眠時　　　　30回分
>
> 　RP.3　他剤が60日分

　例2について、マイスリーは30日制限のため、処方のとおり服用すると、屯服薬は必ず就寝前の分と同日に服用することになり、マイスリーの1日量の上限である10mgを超過しています。そのため服用量の観点からも問題となります。

投与と処方の制限

屯服や外用薬の投与制限

 向精神薬や新薬などでは、内服薬に投与日数制限があります が、屯服薬や外用薬については処方制限はないですか？

 内服薬のみでなく、外用薬、注射薬でも投与日数制限は設けら れています。また、屯服薬についても用法から（添付文書上の 用法を遵守）、投与日数を計算して、制限の範囲内に入っている かを確認する必要があります。なお、貼付剤については63枚の 処方制限があります。

もっと詳しく

　投与日数制限については、添付文書の「保険給付上の注意」の部分に 記載があります。

　なお、貼付剤については「保険給付上の注意」ではなく、医療機関側 に制限がかかっており、1処方につき63枚を超えて貼付剤を投与した場 合は、処方料が算定できなくなっています。ただし、医師が疾患の特性 等により必要性があると判断し、やむを得ず63枚を超えて投薬する場合 には、その理由を処方箋および診療報酬明細書に記載することで算定可 能となっています。

＊令和6年3月5日　保医発0305第4号　別添1

●貼付剤とは

　貼付剤とは、鎮痛・消炎に係る効能・効果を有する貼付剤（ただし、 麻薬もしくは向精神薬であるもの、または専ら皮膚疾患に用いるものを 除く）のことをいいます。

　63枚制限は、1処方におけるすべての種類の貼付剤の合計枚数が63枚 ということで、パップ剤、テープ剤などでも区別せず、合計枚数に含ま れます。

● 貼付剤の日数確認方法

　貼付剤については、「1回当たりの使用量及び1日当たりの使用回数又は投与日数を必ず記載すること」とされています。

➡ 記載がなければ疑義照会が必要です。

➡ レセプトにも処方欄に1日用量または投与日数を併せて記載しましょう。

● 貼付剤を63枚を超えて調剤を行った場合

　処方医が当該貼付剤の63枚を超えた投与が必要であると判断した理由について、処方箋の記載により確認したのか、疑義照会により確認したかの別をレセプト電算コードを用いてレセプトの摘要欄に記載しなければなりません。

▪ 820100377

　処方箋記載により確認

▪ 820100378

　疑義照会により確認

同一成分の医薬品の薬袋・薬剤情報提供文書

レセプト請求では、同一成分の医薬品は1調剤（1剤）としてまとめなければなりませんが、「薬袋」や「薬情」もレセプト請求と同じまとめ方にしなければならないのですか？

レセプトと同じようにまとめる必要はありません。患者さんにわかりやすい記載にしましょう。

「剤」まとめについては、1章Q015からの薬剤調製料と調剤管理料の内容を参照

注射針の単独処方

 Q
040
インスリンが処方されていない場合に、注射針だけ処方することはできないの？

 A
保険請求上、注射針だけを処方することはできません。
令和6年3月5日　保医発0305第4号　別添1

もっと詳しく

「注射器、注射針又はその両者のみを処方箋により投与することは認められない」とされています。なお、この場合の「注射器のみ」とは、医薬品が入っていない注射筒を指しています。

また、インスリン皮下注射用注射筒は、針なし、針付きとも高度管理医療機器に分類されていますが、インスリンと合わせてインスリン製剤の自己注射のために用いる注射用ディスポーザブル注射器（針を含む）を医師の処方箋に基づき、社会保険各法において支給する場合に限って、一定の要件を満たす薬局は、高度管理医療機器等販売業の許可を取得する必要はないとされています。
＊平成29年5月10日薬生機審発0510第1号

海外旅行時の投与日数制限

 海外旅行のため、30日分しか出せない薬が90日分処方されていました。何日分まで認められるの？

 年末年始や海外渡航等による処方日数の延長は、1回14日分の投与制限のある医薬品について、1回30日分を限度として長期処方が可能となるものです。したがって、90日分の処方は認められません（船員保険の場合を除く）。疑義照会をして、投与日数を変更してもらいましょう。

もっと詳しく

　船員保険の場合は、船員保険法第54条第2項の規定に基づき船員保険の療養の給付の担当または船員保険の診療の準則を定める省令に、「長期の航海に従事する船舶に乗り組む被保険者に対し投薬の必要があると認められる場合の投薬量の基準は、保険医療機関及び保険医療養担当規則（昭和32年厚生省令第15号）第20条第2号への規定にかかわらず、航海日程その他の事情を考慮し、必要最小限の範囲において、1回180日分を限度として投与することとする」とあります。

　船員保険の保険者番号は02から始まる8桁の番号になります。この保険証の被保険者（本人）の場合で、投与制限がある医薬品が長期処方されている場合には、処方箋の備考欄のコメント等で、長期の航海に従事する船舶に乗り込む人なのかを確認する必要があります（レセプトにもコメントが必要）。

年末年始の長期投与

Q 042 年末年始は長期投薬が認められると聞いたけど、12月27日の処方でもいいの？

A 12月27日の14日後は1月10日であり、長期処方が必要な理由になりません。したがって、認められません。

もっと詳しく ―・―・―・―・―・―・―・―・―・―・―・―・―・―・―・―・―・―・―・―

　平成14年4月4日保医発第0404001号では、「長期の旅行等特殊の事情がある場合において、必要があると認められるときは、1回14日分を限度とされている内服薬又は外用薬について、旅程その他の事情を考慮し、必要最小限の範囲において、1回30日分を限度として投与して差し支えないものとする」と記載されています。

　なお、長期の旅行等特殊の事情とは、基本的に
- 海外渡航（旅行先で受診できるため国内旅行は不可）
- 年末年始：12月29日～1月3日（明治6年太政官布告第2号より）
- 長期連休：5月の連休（ゴールデンウィーク）

のことであり、必要があると認められるとは、旅行のほかに、通常の受診間隔では医療機関の年末年始や長期連休にあたる場合を指しています。このほかシルバーウィークで認められる場合もあります（毎年ではない）。ただし、お盆休みは認められませんので、注意しましょう。

　また、長期投薬を行った場合は、レセプト電算コードを記載してください。

＊巻末資料P334参照

地域支援体制加算

Q 043
地域支援体制加算を算定している薬局は、お盆休みを取っても よいのでしょうか？

A
国民の祝日に薬局を休業日とすることは認められていますが、 お盆期間中であっても平日は1日8時間以上の開局が求められ ています。よって、基本的に平日を休みにすることはできません。

もっと詳しく

　地域支援体制加算の算定要件の、「休日、夜間を含む薬局における調 剤・相談応需体制の対応」には、以下が記載されています。

> 　当該保険薬局の開局時間は、平日は1日8時間以上、土曜日又は 日曜日のいずれかの曜日には一定時間以上開局し、かつ、週45時間 以上開局していること。
>
> ＊令和6年3月5日　保医発0305第5号

また、以下も参照してください。

> 【平成28年3月31日厚生労働省事務連絡「疑義解釈資料の送付につ いて（その1）問18】
>
> （問）基準調剤加算の算定要件に「当該保険薬局の開局時間は、平 日は1日8時間以上、土曜日又は日曜日のいずれかの曜日には一定 時間以上開局し、かつ、週45時間以上開局していること」とあるが、 祝日を含む週（日曜始まり）については、「週45時間以上開局」の 規定はどのように取り扱うのか。
>
> （答）国民の祝日に関する法律（昭和23年法律第178号）第3条に 規定する休日並びに1月2日、3日、12月29日、12月30日及び31日 が含まれる週以外の週の開局時間で要件を満たすか否か判断するこ と。

薬紛失による同一内容の処方

 Q 044 患者さんが薬を紛失したといって、また同じ処方内容の処方箋を持ってきました。どうすればいいの？

 A 紛失の原因が、「天災地変その他やむを得ない場合」でなければ、保険が使えないので、全額自己負担（自費）になります。

令和6年3月5日　保医発第0305第4号　別添3

もっと詳しく ‐

「区分20使用薬剤料」では、「被保険者が保険薬局より薬剤の交付を受け、持ち帰りの途中又は自宅において薬品を紛失したため（天災地変その他やむを得ない場合を除く）再交付された処方箋に基づいて、保険薬局が調剤した場合は、当該薬剤の費用は被保険者の負担とする」と詳しく記載されています。

なお、令和元年の水害の際、「やむを得ない場合」が適用されました。

医師の自己診療

Q 045

医師が自分の処方箋を発行してきました。受付できますか？

A

保険調剤は認められません。しかし、自費での調剤は可能です。
厚生労働省保険局医療課医療指導監査室「保険診療の理解のために【医科】（令和5年度）」

もっと詳しく　---・---・---・---・---・---・---・---・---・---・---・---

　医師が自身に対して診察、治療を行うことを「自己診療」といいます。健康保険法等に基づく現行の医療保険制度では、被保険者、患者（他人）に対して診療を行う場合についての規定であることから、自己診療を保険診療として行うことは、認められていません。保険診療として請求する場合は、同一の保険医療機関であっても、ほかの保険医に診察を依頼し、治療を受ける必要があります。

処方箋の入力

外国人の名前の入力

 外国人の患者さんで、処方箋には氏名がカタカナで書いてあるのに、初回質問票（アンケート）では本人がアルファベットで名前を書いています。どちらで入力すればいいですか？

 カタカナ、アルファベットのどちらでもかまいません。外国人の氏名について、現在は保険証もアルファベット氏名となっているので、どちらでも可能です。

平成25年11月26日　日本年金機構　品質管理部　個人番号導入への対応と外国人の氏名管理

もっと詳しく ╶╴╶╴╶╴╶╴╶╴╶╴╶╴╶╴╶╴╶╴╶╴╶╴╶╴╶╴╶╴╶╴

　調剤報酬請求書の「氏名」欄については、姓名を記載すること。ただし、健康保険の被保険者については、姓のみの記載で差し支えなく、レセコンの場合は、例外的に漢字またはひらがなをカタカナ記載にしても問題ありません。ただし、この場合には被保険者であっても姓名を記載することとし、姓と名の間にスペースを入れる必要があります。

＊令和6年3月27日　保医発0327第5号

　通常の調剤報酬明細書では全角20文字、半角40文字まで記録ができます。

＊オンライン又は光ディスク等による請求に係る記録条件仕様（調剤用）

患者住所の入力

Q 047 初回質問票（初回アンケート）に記入してもらった患者さんの住所は、レセコンへの入力が必要ですか？

A 調剤管理料の薬剤服用歴等への記載事項のなかに、患者さんの基礎情報として住所が必要となっていますので、レセコンへの入力が必要になります。

令和6年3月5日　保医発0305第4号　別添3

もっと詳しく

　調剤管理料の薬剤服用歴等への記載事項のなかに、「ア　患者の基礎情報（氏名、生年月日、性別、被保険者証の記号番号、住所、必要に応じて緊急連絡先）」とあります。

　まれに、初回アンケートを拒否する患者さんがいらっしゃいますが、調剤管理料を「算定したいから聞く」という姿勢ではなく、「調剤したお薬に対し、回収指示などの情報が入った場合に速やかに連絡したいので」というような説明を行い、上手に聞き出すようにしましょう。

初回質問アンケートのイメージ

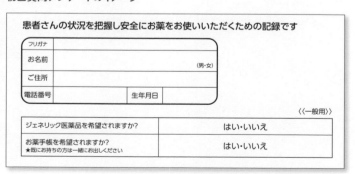

【般】とメーカー名が書いていない処方

薬の名前が、後発医薬品のような名前なのに、【般】の文字がなくて、メーカー名も書いていないけど、入力はどうすればいいの？

後発医薬品名ではなく、一般名（原薬名）で処方されたものと考えられます。この場合、先発医薬品、後発医薬品のどちらを選択してもかまいません。ただし、患者さんに説明して後発医薬品が選択されるよう努めなければなりません。

もっと詳しく

　4章Q011のとおり、平成24年4月から一般名処方の標準的な記載として、【般】＋「一般的名称」＋「剤形」＋「含量」が指定されましたが、これはあくまで標準的なものであり、この記載でないといけないわけではありません。

　参考までに昭和51年8月7日保医発第82号別紙2の「『処方』欄に記載する医薬品名」では、「医薬品名は、一般的名称に剤形及び含量を付加した記載又は、薬価基準に記載されている名称による記載とすること。なお、可能な限り一般名処方を考慮することとし、一般名処方の場合には、会社名（屋号）を付加しないこと」となっています。

一般名処方の入力方法

 医薬品が一般名で処方されているのですが、レセコンで検索しても出てきません。どうやって調べればいいですか？

 平成17年に、後発医薬品の販売名を「有効成分の一般的名称＋剤形＋含量＋屋号とする」と通知される以前から販売されている薬剤においては、ブランド名が主流でした。そのため、一般的名称で検索できない場合があります。薬価基準（薬価本）でブランド名を検索するか、レセコン入力を工夫する必要があります。

もっと詳しく ┄┄┄┄┄┄┄┄┄┄┄┄┄┄┄┄┄┄┄┄┄┄┄┄┄┄

　「レセコン入力＝調剤報酬明細書（レセプト）作成」となっているため、レセコン入力時にはある程度の工夫が必要です。

　調剤報酬明細書の作成では、一般名処方の場合でも一般名を記載せずに調剤した医薬品名を入力しても間違いではありません。しかし、一般名処方のときに先発医薬品を調剤した場合は、理由を記載しなければならないため、一般名に基づき、実際にはどの医薬品を調剤したかまでわかるような入力が推奨されています。

　なお、各メーカーによって入力方法は異なる（記号＋一般名入力など）ので、詳細はレセコンメーカーに確認してください。

　一般名処方の注意点についてですが、医師側での一般名処方の記載方法は、厚生労働省の「一般名マスタリスト」が正しいものとされていますが、必ずしもリストどおりでならない訳ではなく、あくまで「標準的な記載」であり、リストに載っていない薬品の記載方法に明確な決まりはありません。またほとんどの医科レセコンは、薬価マスターから導入されているため、医師側で加工をしない限り一般名の記載方法はほぼ同じです。

　そのため、一部配合剤の軟膏などでは、一般名の記載が酷似しており、調剤およびレセコン入力に十分注意する必要があります。

以下に例をあげておきますので、参照してください。

【例示】

◆レスタミンコーチゾンコーワ軟膏

一般名：ヒドロコルチゾン酢酸エステル・フラジオマイシン配合剤軟膏

◆プロクトセディル軟膏ほか

一般名：ヒドロコルチゾン・フラジオマイシン配合剤軟膏

POINT

上記2薬品の場合の一般名の入力は、「ヒドロコルチゾン」までが一緒であり、名称が長いためとても間違いやすいです。ただし、プロクトセディル軟膏は痔疾治療剤のため用法で区別がつく場合があります。

一般名処方、規格違いの先発医薬品への変更

Q 050 一般名処方のときに、規格違いの後発医薬品はレセコン上で検索の候補にあがってきますが、規格違いの先発医薬品の候補は表示されません。なぜですか？

A 一般名処方の場合に規格の変更ができるのは、後発医薬品を調剤する場合（変更後の薬価が変更前より高くならない）のみであり、規格が異なる先発品を選択する場合は、疑義照会などが必要となるためです。

4章Q016を参照

もっと詳しく ━━━━━━━━━━━━━━━━━━━━━

同様に、一般名でOD錠の処方を先発医薬品の普通錠に変更する場合も、疑義照会が必要です。

疑義照会して変更なし、レセプトへのコメント

Q 051
疑義照会を行って変更がなかった場合、確認のコメントはレセプト（調剤報酬明細書）のどこに入れるべきですか？

A
レセプトの「摘要」欄に記載します。「摘要」欄に記載しきれない場合においては、「処方」欄下部の余白部分に必要事項を記載しても差し支えないとされています。

令和6年3月27日　保医発0327第5号

もっと詳しく ・―・―・―・―・―・―・―・―・―・―・―・―・―・―・―・

　2章Q022「疑義照会ってなんですか？」のとおり、処方箋中に疑わしい点がある場合は疑義照会を行うことが義務化されています。

　そのため、添付文書上に記載された内容と異なる用法・用量等（適応外処方）で処方された場合などでは、処方医に疑義照会を行う必要がありますが、回答が「処方どおり」で、変更がなかった場合にも、処方箋の備考欄に回答の内容を記載する必要があります。

　このような場合、調剤報酬明細書（レセプト）に疑義照会の内容を記載していないと、支払審査機関側は疑義照会の有無を把握できないため、確認せずに適応外処方の調剤を行ったと疑われ、薬局側の返戻及び査定の対象になる可能性があります。忘れずに記載しましょう。

POINT
審査支払機関側は、レセプトで処方内容および加算の妥当性を判断します。返戻および査定されないためにも積極的にレセプト概要欄を利用しましょう！

第5章

レセプトの記載

レセプト電算コード

レセプト摘要コメント

レセプトの摘要欄のコメントには、なんて書いたらいいの？

「コメント」は、文字をフリー入力するものと、決められたレセプト電算コードを使用して、レセプトの摘要欄に記録するものと大きく2つに分かれます。

もっと詳しく ─・─・─・─・─・─・─・─・─・─・─・─・─・─・─・─・─

　レセプト電算コードを使用して、レセプトの摘要欄に記録しなければならないコメントを、フリー入力を用いて文字列で記録してしまうと返戻になってしまうので、注意しましょう。

　レセプト電算コードを使用する方法については、レセコンによってそれぞれ操作方法が異なるため、操作がわからない場合はレセコン会社に問い合わせましょう。

　レセプト電算コードを使用して、コメントが必要な調剤行為については巻末資料の「調剤報酬明細書の「摘要」欄への記載事項等一覧」を参考にしてください。従来はフリー入力を行っていたコメントについても、レセプト電算コードを使用してレセプト摘要欄への記載が必要になったコメントがたくさんあります。

　巻末資料の表中の「レセプト電算処理システム用コード」に数字が記載されている内容については、レセプト電算コードを使用して、摘要欄に記録しなければならないコメントになります。

　また、表中の項番2にある「薬剤調製料（内服）」について、内服薬を別剤として薬剤調製料を算定した場合のコメントについては1章Q032を参照してください。

レセプトのコメント入力

自家製剤加算

Q 002

「自家製剤加算」の算定理由をコメントで補足したいときは、どのように入力すればいいの？

A

加算理由が不明な場合は定められているレセプト電算コードを用いて算定理由を記録します。また2024年6月からは、医薬品の供給上の問題により自家製剤加算を算定した場合、確保できなかった「薬剤名」と「やむを得ない事情」を記載することとなりました。

「診療報酬請求書等の記載要領等について」等の一部改正について（通知）保医発0327第5号

⸺ もっと詳しく ⸺⸺⸺⸺⸺⸺⸺⸺⸺⸺⸺⸺⸺⸺⸺

　自家製剤加算を算定した場合であって「処方」欄の記載内容からは加算理由が不明な場合、下記のレセプト電算コードを使用して算定理由が明確となるよう記載が必要です。

■ 830100438

算定理由（自家製剤加算）；＊＊＊＊＊＊

　医薬品の供給上の問題により自家製剤加算を算定した場合、下記のレセプト電算コードを使用して「調剤に必要な数量が確保できなかった薬剤名」および、「調剤に必要な数量が確保できなかったやむを得ない事情」の記載が必要です。

■ 830100908

　調剤に必要な数量が確保できなかった薬剤名（自家製剤加算）；＊＊＊＊＊＊

■ 820101255

　調剤に必要な数量が確保できなかったやむを得ない事情（自家製剤加算）：医薬品の供給上の問題

特定薬剤管理指導加算3（ロ）

特定薬剤管理指導加算3を算定した場合、コメントは必要ですか？

特定薬剤管理指導加算3（ロ）を「医薬品の供給の状況を踏まえ説明を行った場合」として算定したときは「調剤に必要な数量が確保できなかった薬剤名を記載すること」となりました。

「診療報酬請求書等の記載要領等について」等の一部改正について（通知）保医発0327第5号

もっと詳しく

　医薬品の供給の状況が安定していないため、調剤時に前回調剤された銘柄の必要な数量が確保できず、前回調剤された銘柄から別の銘柄の医薬品に変更して調剤された薬剤の交付が必要となる患者さんに対して説明を行い「特定薬剤管理指導加算3」を算定した場合、下記のレセプト電算コードを使用して「調剤に必要な数量が確保できなかった薬剤名」の記載が必要です。

■830100910

　調剤に必要な数量が確保できなかった薬剤名（特定薬剤管理指導加算3）；******

吸入薬指導加算

 Q 004 2024年6月から「吸入薬指導加算」のコメントは変更になったの？

 A 従来は、初回と2回目以降で別々のコメントの記載が必要とされていましたが、2024年6月からは「対象となる吸入薬の調剤年月日」および「吸入薬の名称を記載すること」となりました。

「診療報酬請求書等の記載要領等について」等の一部改正について（通知）保医発0327第5号

もっと詳しく ┈┈┈┈┈┈┈┈┈┈┈┈┈┈┈┈┈┈┈┈┈┈┈┈┈┈┈┈┈┈┈┈┈

　吸入薬指導加算を算定した場合、下記のレセプト電算コードを使用して「対象となる吸入薬の調剤年月日」および「吸入薬の名称」の記載が必要です。

■ 850100480

吸入薬の調剤年月日（吸入薬指導加算）；（元号）ｙｙ"年"ｍｍ"月"ｄｄ"日"

■ 830100446

吸入薬の名称（吸入薬指導加算）；******

服薬管理指導料3

施設に入所されている患者さんに対して「服薬管理指導料3」を算定する場合、コメントが必要になったのですか？

2024年6月から「服薬管理指導料3」を算定した場合、「服薬管理指導料3の対象患者の入所する施設類型について選択し記載すること」となりました。

「診療報酬請求書等の記載要領等について」等の一部改正について（通知）保医発0327第5号

もっと詳しく

　服薬管理指導料3を算定した場合、「入所する施設類型」を下記のレセプト電算コードを使用して記載することになりました。

■820101258

　服薬管理指導料3：介護老人福祉施設（特養）に入所している患者

■820101259

　服薬管理指導料3：短期入所生活介護（ショートステイ）を受けている患者

■820101260

　服薬管理指導料3：介護医療院に入所している患者

■820101261

　服薬管理指導料3：介護老人保健施設（老健）に入所している患者

調剤後薬剤管理指導料

 調剤後薬剤管理指導料を算定した場合、コメントは必要ですか？

 2024年6月から「調剤後薬剤管理指導料1」や「調剤後薬剤管理指導料2」を算定した場合、それぞれ決められた電算コードを使用して「処方している保険医療機関の名称および当該保険医療機関に情報提供を行った年月日を記載すること」となりました。

「診療報酬請求書等の記載要領等について」等の一部改正について（通知）保医発0327第5号

もっと詳しく

調剤後薬剤管理指導料1を算定した場合、下記のレセプト電算コードを使用してコメントの記載が必要です。

■850190255

情報提供を行った年月日（調剤後薬剤管理指導料1）；（元号）ｙｙ"年"ｍｍ"月"ｄｄ"日"

■830100911

糖尿病用剤を処方した保険医療機関名（調剤後薬剤管理指導料1）；＊＊＊＊＊＊

調剤後薬剤管理指導料2を算定した場合、下記のレセプト電算コードを使用してコメントの記載が必要です。

■850190256

情報提供を行った年月日（調剤後薬剤管理指導料2）；（元号）ｙｙ"年"ｍｍ"月"ｄｄ"日"

■830100912

循環器用薬等を処方した保険医療機関名（調剤後薬剤管理指導料2）；＊＊＊＊＊＊

外来服薬支援料1

Q 007 外来服薬支援料1を請求する際のレセプトの作成方法を教えてください。

A 外来服薬支援料1を請求するレセプトは、処方箋調剤を行ったレセプトとは別に単独のレセプトとして作成します。このとき、「摘要」欄に、服薬管理を実施した日、保険医療機関の名称を記載します。

もっと詳しく ━━━━━━━━━━━━━━━━━━━━━━━━━━━━━

　外来服薬支援料1は、処方箋による調剤ではなく、患者または家族が持参した「服用中の薬剤」に関する服薬支援を評価したもの（平成24年8月9日厚生労働省医療課事務連絡「調剤」問1）なので、「保険医療機関の所在地及び名称」、「都道府県番号」、「点数表番号」「医療機関コード」欄、「保険医氏名」欄については記載しません。「受付回数」は「0」となります。

　「摘要」欄については、次のようなレセプト電算コードを使用して外来服薬支援料1の「注1」または「注2」のどちらに該当するかを記載し、服薬管理を実施した年月日、保険医療機関の名称を記載しなければなりません。

　なお、保険医療機関の名称についてですが、注1の場合においては、服薬支援の必要性を確認した保険医療機関の名称を記入し、注2の場合においては情報を提供した保険医療機関の名称をそれぞれ記入することとされています。

- 外来服薬支援料1：注1　（電算コード：820100793）
- 外来服薬支援料1：注2　（電算コード：820100794）
- 服薬管理を実施した年月日（電算コード：850100370）
- 情報提供を行った保険医療機関の名称（電算コード：830100442）

　なお、複数の処方に対して外来服薬支援を行う場合でも、それらの処方箋を発行したすべての医師に対し、必要な照会または情報提供を行い、

すべての処方医の医療機関名を記載する必要があります。

外来服薬支援料1は、自薬局で調剤した薬剤だけでなく、他の薬局や医療機関で調剤された処方薬においても算定が可能です。自薬局で調剤した薬剤が含まれていない場合でも算定できます。

在宅患者訪問薬剤管理指導料

Q 008 「在宅患者訪問薬剤管理指導料」を算定する場合、レセプト摘要欄へのコメントの記載は必要ですか？

A 調剤を行っていない月に算定する場合や、月に2回以上算定する場合、単一建物診療患者が2人以上の場合、1つの患家に当該指導料の対象となる同居する同一世帯の患者が2人以上いる場合などでは、レセプト摘要欄へのコメントの記載が必要となります。

もっと詳しく

- 調剤を行っていない月に算定する場合：訪問の対象となる調剤の年月日及び投薬日数を記載します（基本料・薬学管理料レコード「前回調剤年月日」「前回調剤数量」）。（紙レセプトの場合のみ記載が必要）。
- 月に2回以上算定する場合：それぞれ算定の対象となる訪問指導を行った日を記載します（電算コード：850100378）。
- 単一建物診療患者が2人以上の場合：その人数を記載します（電算コード：842100071）。
- 1つの患家に当該指導料の対象となる同居する同一世帯の患者が2人以上いる場合、保険薬局が在宅患者訪問薬剤管理指導料を算定する患者数が当該建築物の戸数の10%以下の場合、当該建築物の戸数が20戸未満で保険薬局が在宅患者訪問薬剤管理指導料を算定する患者が2人以下の場合、またはユニット数が3以下の認知症対応型共同生活介護

273

事業所のそれぞれのユニットにおいて在宅患者訪問薬剤管理指導料を算定する人数を単一建物診療患者の人数とみなす場合：

- ■「同居する同一世帯の患者が2人以上」（電算コード：820100103）
- ■「訪問薬剤管理指導を行う患者数が当該建築物の戸数の10%以下」（電算コード：820100371）
- ■「当該建築物の戸数が20戸未満で訪問薬剤管理指導を行う患者が2人以下」（電算コード：820100372）
- ■「ユニット数が3以下の認知症対応型共同生活介護事業所」（電算コード：820100094）

の中から、該当するものを選択して記載します。

　2024年6月から、介護老人福祉施設（特別養護老人ホーム）へ入所されている末期の悪性腫瘍の患者さんに対して訪問薬剤管理指導料等を算定した場合は、レセプト電算コードを用いて「実施した日付」の記録が必要となりました。

　巻末資料「レセプト電算処理システム用コード一覧　項番23」（P329）を参考に記録してください。

　2024年6月から、在宅患者重複投薬・相互作用等防止管理料「1」および「2（イ）」と「2（ロ）」、それぞれレセプト請求の際、レセプト電算コードを用いてコメントの記録が必要となっています。

　巻末資料「レセプト電算処理システム用コード一覧　項番30，31」（P332〜333）を参考に記録してください。

Q 009

「在宅患者訪問薬剤管理指導料」と「服薬管理指導料」や「かかりつけ薬剤師指導料」を同月混在して算定した場合、レセプト摘要欄へのコメントの記載は必要ですか？

A

在宅患者訪問薬剤管理指導料を算定している患者について、当該患者の薬学的管理指導計画に係る疾病と別の疾病、または負傷に係る臨時の投薬が行われ、服薬管理指導料、かかりつけ薬剤師指導料、かかりつけ薬剤師包括管理料を算定する場合は、それらの算定日を記載しなければなりません。

もっと詳しく ──・──・──・──・──・──・──・──・──・──・──・──・──・──・──・──・──

　レセプト電算請求を行うためには、下記のレセプト電算コードを使用してコメントの記載が必要です。
■服薬管理指導料の算定年月日（電算コード：850100374）
■かかりつけ薬剤師指導料の算定年月日（電算コード：850100375）
■かかりつけ薬剤師包括管理料の算定年月日（電算コード：850100376）

在宅患者緊急訪問薬剤管理指導料

在宅患者緊急訪問薬剤管理指導料を算定した場合、コメントは必要ですか？

必ずコメントが必要なわけではありません。コメントが必要な
ケースとしては「末期の悪性腫瘍の患者さんおよび注射による
麻薬の投与が必要な患者に対して月8回を超えた算定になる場
合」や「夜間や休日、深夜の加算を算定する場合」など、ケー
スごとに記載が必要なコメントがあります。

「診療報酬請求書等の記載要領等について」等の一部改正について（通知）保医発0327
第5号

もっと詳しく

　末期の悪性腫瘍の患者さん、または注射による麻薬の投与が必要な患
者さんにあっては、在宅患者緊急訪問薬剤管理指導料1と2を合わせて、
原則として月8回までと算定回数が定められています。そのため、やむ
を得ない事情等により月8回を超えて算定しなければならない場合は、
レセプト電算コードを用いて「当該訪問が必要であった理由」の記録が
必要です。

　巻末資料「レセプト電算処理システム用コード一覧　項番24（P329）
を参考に記録してください。

　また、在宅患者緊急訪問薬剤管理指導料に対して夜間訪問加算、休日
訪問加算または深夜訪問加算を算定した場合は「処方医から訪問指示が
あった年月日及び時刻」「訪問指導した年月日及び時刻」および「当該
訪問が必要であった理由」のそれぞれの記録が必要です。

　巻末資料「レセプト電算処理システム用コード一覧　項番26（P330）
を参考に記録してください。

　ほかに、調剤を行っていない月に緊急訪問した場合（紙レセプトの場
合のみ）や介護老人福祉施設（特別養護老人ホーム）入所者で末期の悪
性腫瘍の患者さんを緊急訪問した場合などにおいても、レセプト摘要欄
にコメントが必要です。

Q 011 「退院時共同指導料」を算定したときには、レセプトの摘要欄へのコメント記載は必要ですか？

A 退院時共同指導料を算定する場合は、指導年月日、共同して指導を行った患者が入院する保険医等の氏名および保険医療機関の名称並びに退院後の在宅医療を担う保険医療機関の名称を記載しなければなりません。

もっと詳しく

　レセプト電算請求を行うためには、下記のレセプト電算コードを使用してコメントの記載が必要です。

- 指導年月日（電算コード：850100385）
- 患者が入院している保険医療機関の保険医等の氏名（電算コード：830100450）
- 患者が入院している保険医療機関名（電算コード：830100451）
- 退院後の在宅医療を担う保険医療機関名（電算コード：830100452）

　退院時共同指導料の調剤報酬明細書（レセプト）は、処方箋に基づく調剤分とは別に、単独のレセプトとして作成します。

　また、受付回数についても「0回」として取り扱うことになります。

レセプトその他

レセプト　2者併用

レセプトの「2者併用」ってどういう意味？

「保険＋公費①」または、「公費①＋公費②」で請求することを
「2者併用」請求といいます。

もっと詳しく ─ ・─ ・─ ・─ ・─ ・─ ・─ ・─ ・─ ・─ ・─ ・─ ・─

　レセプトの1者、2者、3者の考え方は下記のようになります。

保険単独……………………………1者

公費単独……………………………1者

保険＋公費①………………………2者（併用）

公費①＋公費②……………………2者（併用）

保険＋公費①＋公費②………3者（併用）

公費①＋公費②＋公費③……3者（併用）

レセプト　負担割合の記載について

78歳の患者さんで、負担割合が1割でなく3割だったために返戻されてしまいました。「紙」レセプトで再請求するのですが、一部負担金の記載はいらないため、レセプトの記載は変更しないでそのまま再請求して大丈夫ですか？

下記2箇所の変更が必要です。①レセプト右上の「本人・家族」欄を「8　高一」→「0　高7」へ訂正。②レセプト「特記事項」欄を「42 区キ」→「26　区ア」へ訂正。※限度額認定証を確認した場合は、認定証の区分に従ってください。

もっと詳しく

　レセプトの右上の「保険種別1」「保険種別2」「本人・家族」欄については、保険種別や公費併用の有無、本人・家族や負担割合によって選択（記録）する事項が決められています。また、70歳以上の患者さんは「特記事項」欄に「ア・イ・ウ・エ・オ・カ・キ」の高額療養区分の記録が必要です（詳しくは3章Q28参考）。

調剤報酬明細書の負担割合の記載について

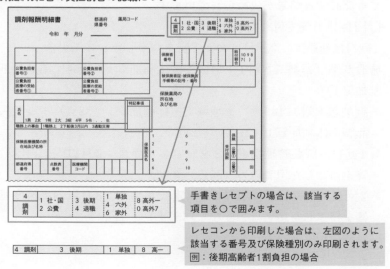

手書きレセプトの場合は、該当する項目を○で囲みます。

レセコンから印刷した場合は、左図のように該当する番号及び保険種別のみ印刷されます。
例：後期高齢者1割負担の場合

レセプト　略号について

レセプトの右下に印字されている「薬学管理料」欄の「薬A1剤調A1」ってどういう意味？

レセプトの薬学管理料欄に記載する「薬A1剤調A1」は、お薬手帳を持っている患者さんが3月以内に再度処方箋を持参し服薬管理指導料1を1回算定、服用薬剤調整支援料1も1回算定したという意味です。

「診療報酬請求書等の記載要領等について」等の一部改正について（通知）別表Ⅳ　調剤行為名称等の略号一覧

もっと詳しく

　レセプトの記載方法には決まりがあり「薬学管理料」欄については、該当するものの名称及びその回数をそれぞれ記載することとされています。また、名称は「略号」が決められているため「服用薬剤調整支援料1」は「剤調A」という名称で記載し、算定回数が1回の場合は「剤調A1」となります。

　その他、レセプトの「加算料」「調剤基本料」「時間外等加算」欄についても記載する略号が決められています。

【月2回処方箋受付した場合の例】
1回目は新患で、2回目はお薬手帳を持参しなかった場合
施設基準（調剤基本料1＋地域支援体制加算1＋後発医薬品調剤体制加算1）
- 調剤基本料1（45点）＋地域支援体制加算1（32点）＋後発医薬品調剤体制加算1（21点）×2回
- 1回目　服薬管理指導料2を算定した場合：3月以内に再度処方箋を持参した患者以外（59点）×1回
- 2回目　服薬管理指導料2を算定した場合：3月以内に再度処方箋を持参した患者（手帳なし）（59点）×1回

基本料　　　点	時間外　　　点	薬学管理料	
基A地支A後A		薬B1　薬C1	
196			118

　同じ点数の「服薬管理指導料2」でも新患の場合と3月以内に再度処方箋を持参した患者さんで手帳なしの場合では、記載方法が異なります。

【リフィル処方箋による調剤をした場合】
リフィル処方箋の総使用回数に対する当該調剤を行う回数を「時間外等加算」欄に記載します。

例：最大3回のうち、2回目の調剤を行った場合「リ2／3」

基本料　　　点	時間外　　　点	薬学管理料	
基A	リ2／3	薬A1	
45			45

＊略語について、詳しくは「P313の調剤報酬点数表」を参照ください。

レセプトの返戻と査定

 増減点連絡書で「増減点数（金額）」がマイナスされてしまった
レセプトを再請求するにはどうしたらいいですか？

 増減点連絡票は、記載されている「事由」により審査側が不適
当と判断した結果「査定」しました、というお知らせです。そ
のため「再請求」はできません。

もっと詳しく ・—・—・—・—・—・—・—・—・—・—・—・—・—・—・—

　レセプトの「返戻」は、患者さんの受給資格や、調剤内容、または事
務内容等について審査側が薬局へ問い合わせて確認をするために、提出
されたレセプトを薬局へ差し戻すことです。そのため、該当するレセプ
トの調剤報酬は、薬局で確認のうえ「再請求」を行うまで振り込まれま
せん。レセプトの「査定」は、審査側が該当するレセプトの調剤内容等
について不適当と判断したため、審査側で「増減点数（金額）」分を調
整して決定（調剤報酬を振込）しているので「再請求」はできません。
　増減点連絡票に記載された査定の内容に異議がある場合は「再審査請
求」を行うことができます。

第三者行為におけるレセプト

 交通事故で治療されている患者さんですが、医療機関から「第
三者行為による治療で請求してください」と連絡がありまし
た。どのようにレセプト請求すればいいですか？

 第三者行為による治療は、医療保険を併用して自賠責保険会社
へ請求を行うため、患者さんが加入している医療保険で通常ど
おりレセプトを作成しますが、レセプトの「特記事項」に「10.
第三」の記載が必要です。

　第三者行為による治療の場合、医療保険の自己負担が3割の患者さんの場合、7割分は医療保険に請求し、残りの3割分を自賠責保険会社へ請求（または患者さんから保険会社へ請求）する形になります。

　また、第三者行為による治療以外に私病による治療がある場合は、第三者行為分と私病分をレセプトで区別が必要なため、レセプトの摘要欄に「事故対象点数」（もしくは「事故外対象点数」）を記載します。

※「第三者行為求償事務の更なる取組強化について（令和3年8月6日　保国発0806第3号、保高発0806第2号）

オンライン請求（外字エラー）

レセプトオンライン請求で「要確認」として「L3002：患者氏名に外字が含まれています」というエラーが出てしまったのですが、カタカナで請求してもいいの？

文字コードに含まれていない外字（﨑や髙など）は、レセプトオンライン請求後のデータでエラーとなってしまいますので、修正が必要です。外字の部分だけをカタカナに変更、あるいは氏名すべてをカタカナで請求しても大丈夫です。

　レセプト請求時のみ外字を任意の文字（カタカナなど）に変更する機能がレセコンにある場合は、設定を行うことで患者さんへお渡しする薬袋や薬情、領収書などは、正しい漢字（外字）のままお渡しすることができますので活用しましょう。

オンライン請求（医療機関コード）

Q 018

レセプトオンライン請求で「要確認」として「L3342：審査支払機関に登録されていない医療機関コードがレセプト共通レコードの処方箋発行医療機関コードに記録されています」というエラーが出てしまったのですが、どうすればいいの？

A

ここでエラーになっている医療機関コードとは「都道府県コード（2桁）」＋「点数表コード（1桁）」＋「機関ごとのコード（7桁）」を指します。点数表コードは「1」が医科で、「3」が歯科であり、このコードは処方箋に記載されています。まずは、処方箋の医療機関コードを確認しましょう。

もっと詳しく ───────────────────────────

　処方箋と照らし合わせた結果、入力に間違いがなかった場合は、処方箋発行元の医療機関に確認しましょう。もしくは、管轄の厚生局のホームページ内「所轄法人等」メニューから確認することもできます。

＊関東信越厚生局のホームページ
https://kouseikyoku.mhlw.go.jp/kantoshinetsu/chousa/shitei.html
＊厚生労働省「地方厚生（支）局」のホームページ
https://kouseikyoku.mhlw.go.jp/

第6章

その他の関連項目

介護保険

介護保険制度の改定

Q 001 2024年度の介護報酬改定で追加になった加算があるの？

A これまで医療保険でしか算定できなかった加算が、介護保険でも算定できるようになり「医療用麻薬持続注射療法加算」と「在宅中心静脈栄養法加算」が新設されました。

もっと詳しく

医療用麻薬持続注射療法加算は「麻薬管理指導加算」を算定している患者さんについては算定できません。医療用麻薬持続注射療法加算や在宅中心静脈栄養法加算については厚労省のホームページの留意事項※1に詳しい内容が示されています。これらの加算は医療保険の加算と類似するため1章Q075や1章Q076も参考にしてください。

ほかにも、居宅療養管理指導費については、これまでは終末期におけるがん患者さんと中心静脈栄養法を受けている患者さんだけが週に2回かつ1月に8回を限度とする算定の対象になっていましたが、心不全や呼吸不全などで注射による麻薬の投与を受けている患者さんも月8回の対象に追加されました。また、今回の改定により情報通信機器を用いた居宅療養管理指導についても以下の3つの見直しが行われています。

- 初回から情報通信機器を用いた居宅療養管理指導の算定を可能とする。
- 訪問診療において交付された処方箋以外の処方箋に係る情報通信機器を用いた居宅療養管理指導についても算定可能とする。
- 居宅療養管理指導の上限である月4回まで算定可能とする。

上記は改定内容の一部になりますので、2024年度介護報酬改定の詳しい内容については厚労省のホームページの令和6年度介護報酬改定に

ついて^{※2}を参考にしてください。

※1　指定居宅サービスに要する費用の額の算定に関する基準（訪問通所サービス、居宅療養管理指導及び福祉用具貸与に係る部分）及び指定居宅介護支援に要する費用の額の算定に関する基準の制定に伴う実施上の留意事項について
https://www.mhlw.go.jp/content/12300000/001227887.pdf
※2　https://www.mhlw.go.jp/stf/newpage_38790.html

介護保険制度

単一建物の「利用者数」ってどういう基準で判断するの？

「単一建物患者（居住者）」の定義は、介護報酬も調剤報酬の定義とほぼ同じものと考えます。

もっと詳しく

　居宅療養管理指導の利用者が居住する建築物に居住する者のうち、同一月の利用者数を「単一建物居住者の人数」といいます。単一建物居住者の人数は、同一月における以下の利用者の人数になります。
ア　養護老人ホーム、軽費老人ホーム、有料老人ホーム、サービス付き高齢者向け住宅、マンションなどの集合住宅等に入居または入所している利用者
イ　小規模多機能型居宅介護（宿泊サービスに限る）、認知症対応型共同生活介護、複合型サービス（宿泊サービスに限る）、介護予防小規模多機能型居宅介護（宿泊サービスに限る）、介護予防認知症対応型共同生活介護などのサービスを受けている利用者
　ただし、ユニット数が3以下の認知症対応型共同生活介護事業所については、それぞれのユニットにおいて、居宅療養管理指導費を算定する人数を、単一建物居住者の人数とみなすことができます。
　また、1つの居宅に居宅療養管理指導費の対象となる同居する同一世

帯の利用者が２人以上いる場合の居宅療養管理指導費は、利用者ごとに「単一建物居住者一人の場合」を算定します。

　さらに居宅療養管理指導費について、当該建築物において当該居宅療養管理指導事業所が居宅療養管理指導を行う利用者数が、当該建築物の戸数の10％以下の場合、または当該建築物の戸数が20戸未満であって、当該居宅療養管理指導事業所が居宅療養管理指導を行う利用者が２人以下の場合には、それぞれ「単一建物居住者一人の場合」を算定します。

＊平成30年度介護報酬改定について　介護報酬改定に関する通知　留意事項
https://www.mhlw.go.jp/stf/seisakunitsuite/bunya/hukushi_kaigo/kaigo_koureisha/housyu/kaitei30.html

介護保険負担割合

 Q 003

介護保険を利用される人で、医療保険の負担割合は３割なのに、介護保険の負担割合は１割です。保険証が古いのかな？

 A

介護保険利用者の負担割合は、65歳以上の人は１割または一定以上の所得のある場合は２割、特に所得の高い場合は３割となります。なお、40歳から64歳までの人は１割となります。

介護保険公費

 Q 004 介護保険と一緒に使える公費と使えない公費があるの？

 A 薬局で居宅療養管理指導費などを算定時に併用できる公費は、「19（原爆）」「54（難病）」「51（特定疾患治療及び先天性血液凝固障害等）」「66（石綿）」「12（生保）」「25（中国残留邦人）」に限られています（地方自治体が実施している公費（医療助成制度）については自治体のルールに従ってください）。

もっと詳しく

　全国的に実施されている公費でも「21（精神通院）」や「15（更生医療）」などは介護保険と一緒に使えません。地方自治体が実施している公費（身体障害者等）も、医療保険と併用できても、介護保険では併用できないケースも多いため注意しましょう。

 Q 005 介護保険で「54（難病）」を使う場合、患者さんが負担する金額について上限額の管理が必要なの？

 A 難病医療の一部負担金の上限額は、医療機関、薬局、訪問看護ステーション等で支払われたすべての自己負担額を合算して適用します。そのため「自己負担上限額管理票」には、介護保険利用分も忘れずに記載しましょう。

もっと詳しく

　介護保険で「54（難病）」を使用する場合でも、指定の有無や、認定疾病に係るサービス範囲の限定などに注意が必要です（3章Q014参照）。

介護保険の保険番号の先頭に「H」が入っているのですが、「12（生保）」を持っているからですか？　この「H」ってどういう意味があるの？

 65歳未満で医療保険未加入の生活保護受給者の介護保険の保険者番号には、先頭に「H」がつきます。その場合においては、「居宅療養管理指導費」などの介護請求分は、全額「12（生保）」に請求となります。

もっと詳しく ┈┈┈┈┈┈┈┈┈┈┈┈┈┈┈┈┈┈┈┈┈┈┈┈┈┈┈┈┈┈┈┈┈┈┈┈

　65歳以上で介護保険と「12（生保）」を持っている人の場合、介護保険の保険者番号の先頭に「H」はつきません。65歳以上の生活保護受給者は、介護保険の自己負担分（介護保険利用費の1割分）が生活保護からの給付（介護扶助）となります。

　どちらも患者負担は0円ですが、介護レセプトの作成方法が異なります。「H」から始まる被保険者番号の介護保険の患者さんが、65歳の誕生日を月途中で迎えた場合、誕生日前後でレセプトが別々になるため注意しましょう。

介護保険の算定

 介護保険で「居宅療養管理指導費」を算定している患者さんでも、医療保険の「在宅患者緊急訪問薬剤管理指導料」を算定できるの？

 居宅療養管理指導費を算定している患者さんでも、「在宅患者緊急訪問薬剤管理指導料1」や「在宅患者緊急訪問薬剤管理指導料2」を算定することができます。

もっと詳しく ┈┈┈┈┈┈┈┈┈┈┈┈┈┈┈┈┈┈┈┈┈┈┈┈┈┈┈┈┈┈┈┈┈┈┈┈

　算定要件などについては医療保険の在宅患者訪問薬剤管理指導料算定

時と同じです。詳しくは1章Q074を参考にしてください。

 今月から居宅療養管理指導費（介護保険）を算定している患者さんなのですが、訪問を担当している医師から、計画とは別に残薬をまとめる一包化の指示がありました。訪問日と同日でなければ「外来服薬支援料1」は算定できるの？

 外来服薬支援料1と「居宅療養管理指導費」または「介護予防居宅療養管理指導費」は、同じ月に算定することができません。訪問を担当している医療機関とは別の医療機関の処方箋についても、同じ月には算定できませんので、注意しましょう。

平成30年3月30日　保医発0330第2号、平成30年3月5日　保医発0305第1号　別添3

 介護保険で居宅療養管理指導費の算定は「間隔は6日以上」となっているけれど、レセプトは月単位なので月が変われば6日間空けなくてもいいの？

 薬局薬剤師が行う居宅療養管理指導費については、算定する日の間隔は6日以上空けることになっていますので、たとえ月が変わったとしても間隔を空けなければ、算定することはできません。

もっと詳しく ─ ・ ─ ・ ─ ・ ─ ・ ─ ・ ─ ・ ─ ・ ─ ・ ─

　例えば、月曜日に算定した場合、次回の算定ができるのは翌週の月曜日以降ということになります。ただし、がん末期、中心静脈栄養を受けている患者さんに対しては、1週間に2回かつ1か月に8回を限度として算定ができることになっています。

11日　月曜日−居宅療養管理指導費を算定
12日　火曜日−1日目
13日　水曜日−2日目
14日　木曜日−3日目
15日　金曜日−4日目　＞算定日翌日以降6日間は算定できません
16日　土曜日−5日目
17日　日曜日−6日目
18日　月曜日−以降、算定可能

介護認定患者における医療保険請求

 2024年6月から医療保険のレセプトにおいて介護保険を使用している患者さんに記録しなければならないレセプトのコメントとは？

 2024年6月調剤分のレセプトから「訪問指導を行った日」および「請求月の最終算定時の要支援度若しくは要介護度」をレセプト電算コードで記録することになりました。また「その他請求内容について特記する必要があればその事項を記載すること」とあります。

もっと詳しく

　「診療報酬請求書等の記載要領等について」等の一部改正について（通知）保医発0327第5号に以下のコメントが必要とあります。

　ア　介護保険に相当するサービスを行った場合について、居宅療養管理指導費若しくは介護予防居宅療養管理指導費により訪問指導を行った日を「摘要」欄に記載すること。その場合、当該請求月の最終算定時の要支援度若しくは要介護度を記載すること。

　イ　その他請求内容について特記する必要があればその事項を記載すること。

　ウ　「摘要」欄に記載しきれない場合においては、「処方」欄下部の

余白部分に必要事項を記載しても差し支えないこと。

　上記「ア」については電算コードで記録する必要があります。

　巻末資料「レセプト電算処理システム用コード一覧　項番37（P335）を参考に記録してください。

　上記「イ」や「ウ」については、フリー入力を用いて文字列でレセプトに記録する方法になります。

サイバーセキュリティ対策

サイバーセキュリティ対策チェックリスト

サイバーセキュリティ対策って、なにをすればいいの？

薬局で患者さんの個人情報を取り扱うレセコンや電子薬歴を見えない脅威（ウイルスやサイバー攻撃）から守るために、薬局が主体となってチェックリストを活用しながら安全管理に取り組み、システムベンダー会社などへもチェックリストを要求して危機の把握や評価を行い有効な対策を実施します。

もっと詳しく

　厚労省のホームページに医療情報システムの安全管理に関するガイドライン*が出ているので「薬局におけるサイバーセキュリティ対策チェックリストマニュアル」を参考にするとわかりやすいです。

＊https://www.mhlw.go.jp/stf/shingi/0000516275_00006.html

　ガイドラインにもあるように経営層を含む薬局全体でガイドラインの把握やセキュリティ対策に取り組む必要があります。また、少なくとも年1回はチェックリストを用いた点検を実施してください。

　システムベンダーやリモートメンテナンス保守を行う会社などには「医療情報セキュリティ開示書（MDS／SDS）」の作成を依頼して入手してください。

　自然災害やサイバー攻撃、システム障害などについては、被害の影響がより大規模となる可能性が高いため、バックアップを分散して保管したり、書き換え不可のバックアップを行ったりなど日常のバックアップについて見直すことも大切です。

薬局で作成、保管が必要な書類について（例）

書類	作成者	備考
薬局におけるサイバーセキュリティ対策チェックリスト（薬局確認用）	薬局にて作成	電子薬歴を利用している薬局は、運用管理規定と照らし合わせながら確認することをお勧めします。
医療情報システムの機器管理台帳	薬局にて作成	レセコンや電子薬歴等で利用しているPCやルーターなどの一覧です。
薬局におけるサイバーセキュリティ対策チェックリスト（事業者確認用）	業者が作成	レセコンや電子薬歴のベンダー会社へ作成を依頼し入手します。
医療情報セキュリティ開示書（MDS／SDS）	業者が作成	レセコンや電子薬歴のベンダー会社へ作成を依頼し入手します。
医療情報セキュリティ開示書（SDS）	業者が作成	リモートメンテナンス（保守）契約をしている場合はそれぞれの業者へ作成を依頼し入手します。※調剤機器やその他、リモートメンテナンスを実施するすべてが対象
組織内と外部関係機関への連絡体制図	薬局にて作成	チェックリストに参考例が記載されています。
サイバー攻撃を想定した事業継続計画	薬局にて作成	チェックリストに参考例が記載されています。

災害時における対応

災害時対応

Q 012 被災された患者さんでおくすり手帳がない場合の飲み合わせの確認や、会計などについてはどうしたらいいですか？

A 災害等の緊急時の特別措置としてオンライン資格確認システムでは薬剤情報や特定健診等情報の閲覧ができます。また、患者さんの一部負担金の支払いについては、災害救助法の適用地域や被災者生活再建支援の適用地域の住民で、一定の条件に該当した人に対し、減免および支払猶予を行う制度があります。

もっと詳しく

　例として、令和元年台風（19号）で被災された方への対応では、患者さんの加入されている保険や被災状況に応じて、医療保険や介護保険料の窓口負担の「減額」「免除」「支払猶予」などが決められていました。
＊厚生労働省HP　令和元年台風第19号について

　オンライン資格確認システムでは災害等の緊急時の特別措置として、マイナンバーカードを持参しなくても、薬剤情報や特定健診等情報の閲覧ができます。この機能は、実施機関が定めた期間内に限られ、実施時はオンライン資格確認システムへお知らせが通知されるようです。詳しくは、医療機関等向け総合ポータルサイトにマニュアル「災害時医療情報の閲覧について」が掲載されています。

　災害発生後、被災地の薬局には地域の医療救護活動への参加が求められるとともに、薬局業務を継続・再開する社会的役割が期待されています。薬局再開に向け、調剤機器が被災しないようにする方法なども検討しておきましょう。なお、日本薬剤師会のホームページに「薬剤師のための災害対策マニュアル」も掲載されています。

Q 013　被災者のレセプト請求ってどうすればいいの？

A　災害ごとで取り扱い方法が異なりますので、国や地方自治体、または薬剤師会などからの通達に従って請求しましょう。

もっと詳しく

　最近の被災者のレセプト請求については、「平成25年1月24日付、保険局医療課事務連絡『暴風雪被害に係る診療報酬等の請求の取扱いについて』」に準じて取り扱うよう通達が出ていることが多いため、上記の事務連絡に準じた請求事例を以下に記載します。

> 例 保険証を確認できている患者さんの場合、下記のようになります。
> - レセプトの特記事項に「96」　■ レセプトの摘要欄の先頭に「災1」
> - 減免区分
>   減額の場合…………「1減額」
>   免除の場合…………「2免除」
>   支払猶予の場合……「3支払猶予」

　減免区分については、災害や保険者ごとに異なるため、罹災証明書等で確認、もしくは通達に従ってください。

> 例 保険証を確認できない場合は紙レセプトで請求します。
> - 被保険者証の記号・番号が確認できない場合
>   明細書の欄外上部に赤色で「不詳」と記載します。
> - 保険者を特定できない場合
>   住所または事業所名、患者に確認している場合には、その連絡先について明細書の欄外上部に記載します。当該明細書について、国民健康保険団体連合会へ提出する分、社会保険診療報酬支払基金へ提出する分、それぞれについて別に束ねて、請求するものとされています。

その他

電子お薬手帳

Q 014 他社の電子お薬手帳を使っている患者さんの場合、手帳の内容を確認したり、手帳へ情報を反映したりするにはどうしたらいいですか？

A 日本薬剤師会が提供する「e薬Link[※1]」を利用して異なる電子お薬手帳アプリの内容を相互に閲覧することが可能です。ほかにも最近ではマイナポータルAPI[※2]を利用して電子お薬手帳へマイナポータルからデータの連携を行えるサービスがあります。

※1電子お薬手帳相互閲覧サービス「e薬Link（イークスリンク）」 https://www.nichiyaku.or.jp/e_kusulink/index.html
※2マイナポータルAPI 仕様公開サイト https://myna.go.jp/html/api/index.html

もっと詳しく

　現在普及している電子お薬手帳の多くは、日本薬剤師会が提供する「e薬Link（イークスリンク）」に加盟していますが、ワンタイムコードを発行する方法は各社で異なります。発行方法については、各社のホームページ等で確認することができます。また、他社の電子お薬手帳への調剤情報の反映については、レセコンや電子薬歴システムで作成した電子お薬手帳情報を2次元コードで印刷して患者さんに渡し、患者さん自身に情報を読み込んでもらう方法がよいでしょう。

　マイナポータルAPIを利用できる電子お薬手帳では、患者さんのスマートフォンの電子お薬手帳画面でマイナポータルとの連携操作後、マイナンバーカードの読み込み認証を行うことで、マイナポータルから電子お薬手帳へ医療機関や薬局で調剤された薬剤情報のデータの連携が可能となります。マイナポータルAPIを利用するためには電子お薬手帳のサービス事業者が「マイナポータルAPI」とシステム連携（契約）している必要があります。

電子処方箋

公費とか労災の患者さんは電子処方箋を発行できないの？

令和6年3月時点では、生活保護や労災保険の患者さんなどは電子処方箋が利用できませんが、オンライン資格確認を利用できる医療保険（主保険）と公費併用の場合については電子処方箋が利用できます。

もっと詳しく ╶╴━╴━╴━╴━╴━╴━╴━╴━╴━╴━╴━

　電子処方箋の運用が開始された令和5年1月から現在まで、生活保護や公費単独、および労災保険、自賠責等の自由診療など医療保険適用外の診療時に発行する処方箋は電子処方箋の対象外となっています。

　生活保護の患者さんについては令和6年4月以降、医療扶助においても電子処方箋の活用が予定されているとの情報が出ています。

　上記以外にも「医療機関向けポータルサイト*」のホームページにはオンライン資格確認や電子処方箋ついて「よくある質問」に詳しく案内が公開されていますので参考にしてください。

＊https://iryohokenjyoho.service-now.com/csm

評価療養

評価療養とは？

評価療養とは、薬事承認後、保険（薬価）収載前の医薬品や医療機器を、患者さんのニーズに対応する観点から保険診療と保険外療養の併用（混合診療）で処方箋を発行し、保険調剤を行うことを認める制度のことです。当該薬剤料や医療機器の費用については、保険請求ができないため全額患者負担となります。

もっと詳しく

評価療養には、新しい医療技術を用いた保険外療養で、保険導入評価の対象になる「先進医療」や「治験」なども含まれますが、保険薬局では「保険（薬価）収載前の医薬品の投与や医療機器の使用」「再生医療等製品の使用又は支給」「保険適用されている医療機器の承認に係る使用目的・方法等と異なる使用目的・方法等に係る使用」等に係る保険調剤が該当します。

- 保険薬局で評価療養に係る医薬品や医療機器等を取り扱う場合には、地域支援体制加算に係る届出が必要です。
- あらかじめ患者さんに対し評価療養の内容および費用に関して説明を行い、その同意を得なければなりません。
- 患者さんから徴収する当該薬剤料や医療機器等の費用については、地方厚生（支）局長へ報告が必要です。

なお、2024年4月の改正[*]では、評価療養の内容および費用に関する事項を薬局内の見やすい場所へ掲示することと、ウェブサイトへの掲載をすることが必要とされました。

[*]厚生労働省令第35号　保険薬局及び保険薬剤師療養担当規則

巻末資料

様式第二号

処　方　箋

（この処方箋は、どの保険薬局でも有効です。）

公費負担者番号						保険者番号						
公費負担医療 の受給者番号						被保険者証・被保険 者手帳の記号・番号			・		（枝番）	

患者	氏　名		保険医療機関の 所在地及び名称	
	生年月日	明大昭平令　　　年　月　日　男・女	電話番号	
			保険医氏名　　　　　　　　　　　㊞	
	区　分	被保険者　　被扶養者	都道府県番号　　点数表番号　医療機関コード	

交付年月日	令和　年　月　日	処方箋の 使用期間	令和　年　月　日	特に記載のある場合を除き、交付の日を含めて4日以内に保険薬局に提出すること。

処 方	変更不可 （医療上必要）　患者希望	個々の処方薬について、医療上の必要性があるため、後発医薬品（ジェネリック医薬品）への変更に差し支えがあると判断した場合には、「変更不可」欄に「レ」又は「×」を記載し、「保険医署名」欄に署名又は記名・押印すること。また、患者の希望を踏まえ、先発医薬品を処方した場合には、「患者希望」欄に「レ」又は「×」を記載すること。
		リフィル可　□　（　　　回）

備 考	保険医署名	「変更不可」欄に「レ」又は「×」を記載した場合は、署名又は記名・押印すること。
	保険薬局が調剤時に残薬を確認した場合の対応（特に指示がある場合は「レ」又は「×」を記載すること。） □保険医療機関へ疑義照会した上で調剤　　　　□保険医療機関へ情報提供	

調剤実施回数（調剤回数に応じて、□に「レ」又は「×」を記載するとともに、調剤日及び次回調剤予定日を記載すること。）		
□1回目調剤日（　年　月　日）　　□2回目調剤日（　年　月　日）　　□3回目調剤日（　年　月　日） 次回調剤予定日（　年　月　日）　　　次回調剤予定日（　年　月　日）		

調剤済年月日	令和　年　月　日	公費負担者番号				
保険薬局の所在地 及　び　名　称 保険薬剤師氏名	㊞	公費負担医療の 受給者番号				

備考　1．「処方」欄には、薬名、分量、用法及び用量を記載すること。
　　　2．この用紙は、A列5番を標準とすること。
　　　3．療養の給付及び公費負担医療に関する費用の請求に関する命令（昭和51年厚生省令第36号）第1条の公費負担医療については、「保険医療機関」とあるのは「公費負担医療の担当医療機関」と、「保険医氏名」とあるのは「公費負担医療の担当医氏名」と読み替えるものとすること。

令和6年改定にて、患者さんが先発医薬品を希望した場合用の患者希望欄が追加されました。

様式第二号の二、分割指示に係る処方箋（別紙）

様式第二号の二（第二十三条関係）

処方箋

（この処方箋は、どの保険薬局でも有効です。）

分割指示に係る処方箋　　分割の　　回目

| 公費負担者番号 | | 保険者番号 | |
| 公費負担医療の受給者番号 | | 被保険者証・被保険者手帳の記号・番号 | （枝番） |

患者	氏　名	
	生年月日	明・大・昭・平・令　　年　月　日　　男・女
	区　分	被保険者　　被扶養者

保険医療機関の所在地及び名称
電話番号
保険医氏名　　　　　　　　　㊞

都道府県番号　点数表番号　医療機関コード

交付年月日　令和　年　月　日

処方箋の使用期間　令和　年　月　日

変更不可（医療上必要）　患者希望

| 処 | 方 | |

備考

保険医署名（「変更不可」欄に「レ」又は「×」を記載した場合は、署名又は記名・押印すること。）

調剤年月日　令和　年　月　日

保険薬局の所在地及び名称
保険薬剤師氏名　　　　　　　　㊞

公費負担者番号
公費負担医療の受給者番号

様式第二号の二

分割指示に係る処方箋（別紙）

（発行保険医療機関情報）
処方箋発行保険医療機関の保険薬局からの連絡先

電話番号
FAX番号
その他の連絡先

（受付保険薬局情報）

1回目を受け付けた保険薬局
　名称
　所在地
　保険薬剤師氏名　　　　　　　㊞
　調剤年月日

2回目を受け付けた保険薬局
　名称
　所在地
　保険薬剤師氏名　　　　　　　㊞
　調剤年月日

3回目を受け付けた保険薬局
　名称
　所在地
　保険薬剤師氏名　　　　　　　㊞
　調剤年月日

調剤報酬明細書（レセプト）の見方

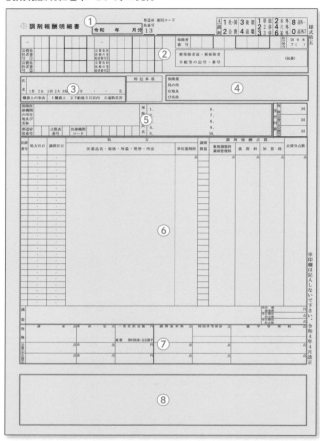

①調剤年月

②保険内容…医療保険、公費負担、保険種別・給付割合など

③患者名…氏名、性別、生年月日、職務上の事由

④薬局名…厚生局に届け出た所在地及び名称、電話番号、麻薬の場合は免許番号

⑤医療機関情報…保険医療機関の所在地、名称、保険医名、医療機関番号など

⑥処方欄…処方内容、薬剤料、各種加算、薬学管理料、摘要など

⑦請求…調剤基本料、時間外等加算、薬学管理料など

⑧OCRエリア…電子請求時に保険番号など請求支払に関する項目について67桁の数字がレセコンから自動入力される。

➡レセプトを訂正した場合

　返戻などで患者情報、請求点数などを訂正した場合は、OCRエリアの下段の数字を取り消し線などで抹消すること。

出典：厚生労働省

届出カレンダー（主なもの）

年間

月	期間	内容	届出先	期限等詳細
1月	2年毎	薬剤師届出書	近くの保健所	12月31日時点の従事先／1月15日までに報告（西暦の奇数年）
	毎年	薬局機能情報定期報告	都道府県知事G-MISで報告	報告期間、期限は都道府県によって異なる
3月	毎年	取扱処方箋数届書	所在地を所管する保健所（保健福祉事務所、健康福祉センター等）	前年（1月1日から12月31日まで）の処方箋数／3月末までに届出 ※前年の一日平均取扱処方箋数が40枚を超えていて（計算式あり） 前年において業務を行った期間が3か月以上の薬局が対象
5月	変更時	調剤基本料・地域支援体制加算・在宅薬学総合体制加算の区分変更届出		区分が変更となる場合／5月末までに届出 ※前年5月1日から本年4月末日までの処方せんの受付回数及び集中率で計算 ※新規に保険薬局に指定された場合は別途規定あり
5月	2年毎改正時	調剤基本料・施設基準の届出	地方厚生（支）局保険薬局が所在する都道府県を管轄する事務所等	法令改正に基づき、基本料や施設基準の届出が必要になった場合
7月	毎年	施設基準届出状況報告書		7月1日現在で届け出ている施設基準について自己点検／7月末までに報告
10月	更新時	麻薬小売業者免許の継続申請	所在地を所管する保健所（保健福祉事務所、健康福祉センター等）	10月1日から10月末までに申請 ※有効期間は免許の日からその日の属する年の翌々年の12月31日まで
	毎年	麻薬年間届		前年10月1日から本年9月30日までの実績／10月1日から11月末までに報告
	毎年	妥結率等に係る報告書	地方厚生（支）局保険薬局が所在する都道府県を管轄する事務所等	4月1日から9月30日までの実績／10月1日から11月末までに報告

左記の他、6年毎に更新が必要なものとして下記などもあります。

期間	内容	届出先
6年毎	薬局開設の許可更新	所在地を所管する 保健所（保健福祉事務所、 健康福祉センター等）
	高度管理医療機器の 許可更新	
	保険薬局指定更新	地方厚生（支）局

期間	内容	届出先
6年毎	生活保護（12）の指定の更新	自治体ごとに指定あり
	難病医療（54）の指定の更新	
	小児慢性（52）の指定の更新	
	精神通院（21）の指定の更新	
	更生医療（15）の指定の更新	
	育成医療（16）の指定の更新	

「届出先」についてはWebの検索で「内容　〇〇県」などで検索すると詳細を確認できます。

例：「生活保護（12）の指定の更新　愛知県」など

また、管轄の保健所については、厚生労働省ホームページ「保健所管轄区域案内」から確認することもできます。

https://www.mhlw.go.jp/stf/seisakunitsuite/bunya/kenkou_iryou/kenkou/hokenjo/index.html

ご注意！ こちらの表では、主なものを示しました。
また、法律改正等により、取り扱いが変更となる場合がありますので、随時ご確認ください。

標示・掲示物リスト（主なもの）

掲示物	場所	対象薬局	備考
「保険薬局」である旨の標示	外側	全保険薬局	保険医療機関及び保険薬局の指定並びに保険医及び保険薬剤師の登録に関する省令 第7条
薬局開設の許可証	店内	全薬局	医薬品医療機器等法第3条
調剤管理料に関する事項	店内及びWeb	全保険薬局	保医発0304第5号療担基準に基づき厚生労働大臣が定める掲示事項等 第12
服薬管理指導料に関する事項	店内及びWeb	全保険薬局	保医発0304第5号療担基準に基づき厚生労働大臣が定める掲示事項等 第12
開局時間及び休業日並びに時間外、休日、深夜における調剤応需体制に関する事項等についての掲示	外側及びWeb	全保険薬局	保険薬局及び保険薬剤師療養担当規則
調剤基本料に関する事項	店内及びWeb	全保険薬局（算定している基本料について）	保医発0304第5号療担基準に基づき厚生労働大臣が定める掲示事項等 第12
調剤報酬点数表に基づき地方厚生（支）局長に届け出た内容	店内及びWeb	全保険薬局	保医発0304第5号療担基準に基づき厚生労働大臣が定める掲示事項等 第12
明細書の発行状況に関する事項 ●明細書を無料で発行している旨 ●公費負担で支払いのない場合も無料で発行している旨 ●明細書の交付を希望しない場合の掲示を行い患者の意向を確認	店内及びWeb	レセプト電算請求、レセプトオンライン請求を行っている薬局	保医発0305第11号医療費の内容の分かる領収証及び個別の診療報酬の算定項目の分かる明細書の交付について
調剤報酬点数表の一覧（等）（投薬カウンターから分かりやすい場所に）	店内	全保険薬局	調剤報酬点数表に関する事項
開局時間を分かりやすい場所に表示（内側及び外側）加算の対象日、受付時間帯を掲示（内側）	店内及び外側	「夜間・休日等加算」算定薬局	調剤報酬点数表に関する事項
評価療養、患者申出療養又は選定療養に関する療養の内容及び費用に関する事項	店内及びWeb	評価療養、患者申出療養又は選定療養の実施薬局	令和6年厚生労働省令第35号保険薬局及び保険薬剤師療養担当規則

掲示物	場所	対象薬局	備考
地域支援体制加算に関する事項	店内及びWeb	「地域支援体制加算」算定薬局	保医発0304第5号療担基準に基づき厚生労働大臣が定める掲示事項等　第12
連携薬局及び自局に直接連絡が取れる連絡先電話番号	外側	「地域支援体制加算」算定薬局	特掲診療料の施設基準等及びその届出に関する手続きの取扱いについて
在宅患者訪問薬剤管理指導を行う薬局であること（内側及び外側）	店内及び外側	「地域支援体制加算」算定薬局	特掲診療料の施設基準等及びその届出に関する手続きの取扱いについて
後発医薬品調剤体制加算に関する事項（後発医薬品調剤体制加算を算定している旨）	店内及びWeb	「後発医薬品調剤体制加算」算定薬局	保医発0304第5号療担基準に基づき厚生労働大臣が定める掲示事項等　第12
後発医薬品の調剤を積極的に行っている旨（内側及び外側）	店内及び外側	「後発医薬品調剤体制加算」算定薬局	特掲診療料の施設基準等及びその届出に関する手続きの取扱いについて
無菌製剤処理加算に関する事項	店内及びWeb	「無菌製剤処理加算」算定薬局	保医発0304第5号療担基準に基づき厚生労働大臣が定める掲示事項等　第12
在宅薬学総合体制加算に関する事項	店内及びWeb	「在宅薬学総合体制加算」算定薬局	保医発0304第5号療担基準に基づき厚生労働大臣が定める掲示事項等　第12
医療DX推進体制整備加算に関する事項	店内及び外側	「医療DX推進体制整備加算」算定薬局	保医発0304第5号療担基準に基づき厚生労働大臣が定める掲示事項等第12
医療DX推進体制整備加算に関する事項 ●オンライン資格確認等システムを通じて患者の診療情報、薬剤情報等を取得し、調剤、服薬指導等を行う際に当該情報を閲覧し、活用している保険薬局であること。 ●マイナンバーカードの健康保険証利用を促進する等、医療DXを通じて質の高い医療を提供できるよう取り組んでいる保険薬局であること。 ●電子処方箋や電子カルテ情報共有サービスを活用するなど、医療DXに係る取組を実施している保険薬局であること。	店内及びWeb	「医療DX推進体制整備加算」算定薬局	特掲診療料の施設基準等及びその届出に関する手続きの取扱いについて

掲示物	場所	対象薬局	備考
災害や新興感染症等発生時における対応可能な体制を確保していること	Web	「連携強化加算」算定薬局	特掲診療料の施設基準等及びその届出に関する手続きの取扱いについて
かかりつけ薬剤師指導料に関する事項	店内及びWeb	「かかりつけ薬剤師指導料」算定薬局	保医発0304第5号療担基準に基づき厚生労働大臣が定める掲示事項等　第12
かかりつけ薬剤師包括管理料に関する事項	店内及びWeb	「かかりつけ薬剤師包括管理料」算定薬局	保医発0304第5号療担基準に基づき厚生労働大臣が定める掲示事項等　第12
在宅患者訪問薬剤管理指導に関する事項	店内及びWeb	「在宅患者訪問薬剤管理指導料」算定薬局	保医発0304第5号療担基準に基づき厚生労働大臣が定める掲示事項等　第12
●オンライン資格確認を行う体制を有していること。●当該保険薬局に処方箋を提出した患者に対し、診療情報、薬剤情報その他必要な情報を取得・活用して調剤を行うこと。	店内及びWeb	「医療情報取得加算」算定薬局	保医発0304第2号特掲診療料の施設基準等及びその届出に関する手続きの取扱いについて
要指導医薬品及び一般用医薬品の販売制度に関する事項	店内	全薬局	医薬品、医療機器等の品質、有効性及び安全性の確保等に関する法律施行規則、医薬品医療機器等法
個人情報に関わる事項（個人情報保護方針）	店内	全薬局	個人情報保護法医療・介護関係事業者における個人情報の適切な取扱いのためのガイダンス
薬局又は店舗の管理及び運営に関する事項	店内	全薬局	医薬品医療機器等法 15条
薬局の業務に従事する薬剤師の氏名を、薬局内の見やすい場所に掲示する	店内	全薬局	薬局業務運営ガイドライン
労災指定薬局	店内	労災指定薬局	労災保険指定薬局療養担当規則
公費番号18「認定疾病医療」公費番号19「一般疾病医療費」の指定薬局であること	店内	公費「18」「19」指定薬局	原子爆弾被爆者に対する援護に関する法律施行規則　第16条
公費番号52「小児慢性特定疾病医療費の支給」公費番号53「措置等に係る医療の給付」の指定薬局であること	店内	公費「52」「53」指定薬局	児童福祉法施行規則　第13条　第12号様式（第13条関係）により表示しなければならない）
公費番号12「生活保護法による医療扶助」の指定薬局であること	店内	公費「12」指定薬局	生活保護法施行規則第13条

掲示物	場所	対象薬局	備考
介護サービス （居宅療養管理指導、予防居宅療養管理指導）に関する、運営規程の概要、訪問介護員等の勤務の体制その他の利用申込者のサービスの選択に資すると認められる重要事項	店内	介護保険サービス提供事業者	指定居宅サービス等の事業の人員、設備及び運営に関する基準
高度管理医療機器販売許可証	店内	高度管理医療機器等販売業・貸付業の許可を取得している薬局	医薬品医療機器等法
療養の給付と直接関係ないサービス等の費用徴収に係る内容及び料金について	店内及びWeb	診療報酬点数表上実費徴収が可能なものとして明記されている費用や容器代等の費用を徴収する薬局	保医発0321第5号療養の給付と直接関係ないサービス等の取り扱いについて分かりやすく掲示

＊「保険調剤確認事項リスト（薬局）令和5年度改訂版」参考
＊令和6年3月5日 保医発0305第3号にて下記の内容が通知されました。
薬担規則第2条の4第1項により掲示することとされている厚生労働大臣が定める事項について、原則として、ウェブサイトに掲載しなければならないこと。ただし、自ら管理するホームページ等を有しない保険医療機関についてはこの限りではない。

ご注意！ こちらの表では、主なものを示しました。
また、法律改正等により、取り扱いが変更となる場合がありますので、随時ご確認ください。

薬局で保存が必要とされている記録

記録等	保存期間	関係法規または根拠
調剤済み処方箋	3年※	薬剤師法第27条
調剤済み電子処方箋ファイル（要署名） （調剤済み処方箋の 有償保存サービスにて保管も可）	3年※	医療機関等向け 総合ポータルサイト
調剤録	3年※	薬剤師法第28条
リフィル処方箋の写し （調剤済みでない場合）	3年	令和4年3月31日事務連絡疑義解釈資料（その1）
薬局の管理に関する帳簿	3年	医薬品医療機器等法施行規則第13条
医薬品の購入等に関する記録 （開設者に販売）	3年	医薬品医療機器等法施行規則第14条
医薬品の購入等に関する記録 （薬局医薬品、要指導医薬品、 第1類医薬品）	2年	医薬品医療機器等法施行規則第14条
医薬品の購入等に関する記録 （第2類・3類医薬品）	努力義務	医薬品医療機器等法施行規則第14条
処方箋医薬品の販売帳簿	2年	医薬品医療機器等法第49条
高度管理医療機器等の販売業の 営業所の管理に関する帳簿	6年	医薬品医療機器等法施行規則第164条
高度管理医療機器等の 購入等に関する記録	3年	医薬品医療機器等法施行規則第173条
毒薬または劇薬の譲渡の記録	2年	医薬品医療機器等法第46条
毒物または劇物の譲渡の記録	5年	毒物及び劇物取締法
麻薬の譲受証及び譲渡証	2年	麻薬及び向精神薬取締法第32条
麻薬帳簿	2年	麻薬及び向精神薬取締法第38条
向精神薬の譲渡・譲受・廃棄の記録 （除外：3種、処方箋）	2年	麻薬及び向精神薬取締法第54条の23
覚醒剤の譲渡証及び譲受証 覚醒剤原料の譲渡証及び譲受証	2年	覚醒剤取締法第18条 覚醒剤取締法第30条の10
覚醒剤帳簿 覚醒剤原料帳簿	2年	覚醒剤取締法第28条 覚醒剤取締法第30条の17
特定生物由来製品の使用記録	20年	平成15年医薬発第0515012
生活保護法　調剤券	5年	指定医療機関医療担当規程第9条

記録等	保存期間	関係法規または根拠
商業帳簿	10年	商法第19条
会計帳簿	10年	会社法432条
連結法人の帳簿書類	7年	法人税法施行規則 第8条の3の10

※ 2章Q031参照　5年のものもある

調剤報酬点数表（令和6年6月1日施行）

第1節　調剤技術料

項目	届出	要件、算定上限	点数	略号
調剤基本料		処方箋受付1回につき	注1）妥結率50%以下などは▲50%で算定	
①調剤基本料1	○	②～⑤以外、 または医療資源の少ない地域に所在する保険薬局	注2）異なる保険医療機関の複数処方箋の同時受付、1枚目以外は▲20%で算定 45点	基A
②調剤基本料2	○	処方箋受付回数および集中率が、次のいずれかに該当する保険薬局 　イ）月4,000回超&上位3医療機関に係る合計受付回数の集中率70%超 　ロ）月2,000回超&集中率85%超 　ハ）月1,800回超&集中率95%超 　ニ）特定の保険医療機関に係る処方箋が月4,000回超 ※1.保険薬局と同一建物内の保険医療機関は合算 ※2.同一グループの他の保険薬局で集中率が最も高い保険医療機関が同一の場合は、当該処方箋受付回数を含む	29点	基B
③調剤基本料3	○	同一グループの保険薬局の処方箋受付回数（または店舗数）の合計および当該薬局の集中率が、次のいずれかに該当する保険薬局 　イ）月3.5万回超～4万回以下&集中率95%超 　　月4万回超～40万回以下&集中率85%超 　　月3.5万回超&特定の保険医療機関と不動産の賃貸借取引 　ロ）月40万回超（または 300店舗以上）&集中率85%超 　　月40万回超（または 300店舗以上）&特定の保険医療機関と不動産の賃貸借取引 　ハ）月40万回超（または 300店舗以上）&集中率85%以下	イ）24点 ロ）19点 ハ）35点	基C 基D 基E
④特別調剤基本料A	○	保険医療機関と特別な関係（同一敷地内）&集中率50%超の保険薬局 ※1.地域支援体制加算・後発医薬品調剤体制加算等は▲90%で算定 ※2.薬学管理料に属する項目（一部を除く）は算定不可 ※3.1処方につき7種類以上の内服薬の薬剤料は▲10%で算定	5点	特基A
⑤特別調剤基本料B	－	調剤基本料に係る届出を行っていない保険薬局 ※1.調剤基本料の各種加算および薬学管理料に属する項目は算定不可 ※2.1処方につき7種類以上の内服薬の薬剤料は▲10%で算	3点	特基B
分割調剤 （長期保存の困難性等） （後発医薬品の試用）		1分割調剤につき（1処方箋の2回目以降） 1分割調剤につき（1処方箋の2回目のみ）	5点 5点	

項目	届出	要件、算定上限	点数	略号
調剤基本料				
地域支援体制加算1 　地域支援体制加算2	○	調剤基本料1の保険薬局 地域支援体制加算1 基本体制＋必須1＋選択 2以上 地域支援体制加算2 基本体制＋選択 8以上	32点 40点	地支A 地支B
地域支援体制加算3 　地域支援体制加算4		調剤基本料1以外の保険薬局 （麻薬小売業＋必須2＋選択1以上） 調剤基本料1以外の保険薬局 （選択8以上）	10点 32点	地支C 地支D
連携強化加算	○	災害・新興感染症発生時等の対応体制	5点	連強
後発医薬品調剤体制加算1 　後発医薬品調剤体制加算2 　後発医薬品調剤体制加算3	○	後発医薬品の調剤数量が80％以上 後発医薬品の調剤数量が85％以上 後発医薬品の調剤数量が90％以上	21点 28点 30点	後A 後B 後C
後発医薬品減算	―	後発医薬品の調剤数量が50％以下 （月600回以下の保険薬局を除く）	▲5点	後減
在宅薬学総合体制加算1 　在宅薬学総合体制加算2	○	「要件・算定上限」は左記1、2共通 在宅患者訪問薬剤管理指導料等24回 以上、緊急時等対応、医療・衛生材料等 同加算1の算定要件、①医療用麻薬 （注射薬含）の備蓄＆無菌製剤処理体制 または ②乳幼児・小児特定加算6回、 かかりつけ薬剤師24回、 高度管理医療機器ほか	15点 50点	在総A 在総B
医療DX推進体制整備加算	○	電子処方箋の応需体制、電子薬歴、 マイナ保険証の利用実績ほか、月1回まで	4点	薬DX
薬剤調製料				
内服薬		1剤につき、3剤分まで	24点	
屯服薬			21点	
浸煎薬		1調剤につき、3調剤分まで	190点	
湯薬		1調剤につき、3調剤分まで	7日分以下　190点 8〜27日分　190点 ＋10 点／1日分 （8日目以上の部分） 28日分以上　400点	
注射薬			26点	
外用薬		1調剤につき、3調剤分まで	10点	
内服用滴剤		1調剤につき	10点	
無菌製剤処理加算 　中心静脈栄養法用輸液 　抗悪性腫瘍剤 　麻薬	○	1日につき※注射薬のみ 2以上の注射薬を混合 2以上の注射薬を混合（生理食塩水等で 希釈する場合を含む） 麻薬を含む2以上の注射薬を混合（〃） または原液を無菌的充填	69点（6歳未満137点） 79点（6歳未満147点） 69点（6歳未満137点）	菌
麻薬等加算 　（麻薬、向精神薬、覚醒剤原料、 　毒薬）		1調剤につき	麻薬70点、 麻薬以外8点	麻 向 覚原 毒
自家製剤加算（内服薬） 　錠剤、丸剤、カプセル剤、散剤、 　顆粒剤、エキス剤 　液剤		1調剤につき （錠剤を分割した場合は20/100に 相当する点数を算定）	分割した場合20/100 7日分につき20点 45点	分自 自

項目	届出	要件、算定上限	点数	略号
薬剤調製料			分割した場合20/100	分自
自家製剤加算（屯服薬） 錠剤、丸剤、カプセル剤、散剤、 顆粒剤、エキス剤 液剤		1調剤につき	90点 45点	自
自家製剤加算（外用薬） 錠剤、トローチ剤、軟・硬膏剤、 パップ剤、リニメント剤、坐剤 点眼剤、点鼻・点耳剤、浣腸剤 液剤		1調剤につき	90点 75点 45点	自
計量混合調剤加算 液剤 散剤、顆粒剤 軟・硬膏剤		1調剤につき ※内服薬・屯服薬・外用薬	35点 45点 80点	計
時間外等加算 （時間外、休日、深夜）		基礎額＝調剤基本料（各加算を含む） ＋薬剤調製料＋調剤管理料 ＋無菌製剤処理加算＋調剤管理料	基礎額の 100％（時間外）、 140％（休日）、 200％（深夜）	時 調時 薬時 休 調休 薬休 深 調深 薬深
夜間・休日等加算		処方箋受付1回につき	40点	夜

第2節　薬学管理料

項目	届出	要件、算定上限	点数	略号
調剤管理料		処方箋受付1回につき算定 薬剤服用歴の記録・管理を行った場合		
①内服薬あり		内服薬1剤につき算定（3剤分まで）	7日分以下　4点 8～14日分　28点 15～28日分50点 29日分以上60点	
②①以外			4点	
重複投薬・相互作用等防止加算		処方変更あり	残薬調整以外40点 残薬調整20点	防A 防B
調剤管理加算	－	複数医療機関から 合計6種類以上の内服薬が 処方されている患者	初来局時3点 2回目以降（処方変更 ・追加あり）3点	調管A 調管B
医療情報取得加算1 医療情報取得加算2	－	オンライン資格確認体制 オンライン資格確認体制、 電子資格確認による薬剤情報等取得	6月に1回まで3点 6月に1回まで1点	医情A 医情B
服薬管理指導料		処方箋受付1回につき、薬剤情報提供・ 服薬指導		
①通常（②・③以外）		3カ月以内の再調剤 （手帳による情報提供あり） またはそれ以外	①再調剤（手帳あり） 45点 ①再調剤（手帳なし） 59点 ①3月以内再調剤なし 59点	薬A 薬B 薬C

項目	届出	要件、算定上限	点数	略号
服薬管理指導料				
②介護老人福祉施設等入所者		ショートステイ等の利用者も対象、オンラインによる場合含む。月4回まで	②再調剤（手帳あり）45点	薬3A
			②再調剤（手帳なし）45点	薬3B
			②3月以内再調剤なし45点	薬3C
③情報通信機器を使用（オンライン）		3カ月以内の再調剤（手帳による情報提供あり）またはそれ以外	③再調剤（手帳あり）45点	薬オA
			③再調剤（手帳なし）59点	薬オB
			③3月以内再調剤なし59点	薬オC
麻薬管理指導加算			22点	麻
特定薬剤管理指導加算1		厚生労働大臣が定める特に安全管理が必要な医薬品	新たに処方10点、指導の必要5点	特管Aイ 特管Aロ
特定薬剤管理指導加算2	○	抗悪性腫瘍剤の注射かつ悪性腫瘍の治療に係る調剤、月1回まで	100点	特管B
特定薬剤管理指導加算3		イ）医薬品リスク管理計画に基づく指導、対象医薬品の最初の処方時1回まで	5点	特管Cイ
		ロ）選定療養（長期収載品の選択）等の説明、対象薬の最初の処方時1回	5点	特管Cロ
乳幼児服薬指導加算		6歳未満の乳幼児	12点	乳
小児特定加算		医療的ケア児（18歳未満）	350点	小特
吸入薬指導加算		喘息または慢性閉塞性肺疾患の患者、3月に1回まで	30点	吸
調剤後薬剤管理指導加算		月1回まで（地域支援体制加算に係る届出薬局に限る）	60点	調後
服薬管理指導料（特例）	―	3カ月以内の再調剤のうち手帳の活用実績が50%以下、加算は算定不可	13点	特1A 特1B 特1C
	―	処方箋受付1回につき、かかりつけ薬剤師との連携対応、かかりつけ薬剤師指導料等の算定患者	59点	特2A 特2B 特2C
かかりつけ薬剤師指導料	○	処方箋受付1回につき、服薬情報等提供料の併算定不可	76点	薬指
麻薬管理指導加算			22点	麻
特定薬剤管理指導加算1		厚生労働大臣が定める特に安全管理が必要な医薬品	新たに処方10点、指導の必要5点	特管Aイ 特管Aロ
特定薬剤管理指導加算2		抗悪性腫瘍剤の注射かつ悪性腫瘍の治療に係る調剤、月1回まで	100点	特管B
特定薬剤管理指導加算3		イ）医薬品リスク管理計画に基づく指導、対象医薬品の最初の処方時1回まで	5点	特管Aイ
		ロ）選定療養（長期収載品の選択）等の説明、対象薬の最初の処方時1回	5点	特管Aロ
乳幼児服薬指導加算		6歳未満の乳幼児	12点	乳
小児特定加算		医療的ケア児（18歳未満）	350点	小特

項目	届出	要件、算定上限	点数	略号
かかりつけ薬剤師包括管理料	○	処方箋受付1回につき	291点	薬包
外来服薬支援料1		月1回まで	185点	支A
外来服薬支援料2		一包化・服薬支援（内服薬のみ）	7日分につき34点 （43日分以上240点）	支B
施設連携加算		入所中の患者を訪問、施設職員と協働した 服薬管理・支援、月1回まで	50点	施連
服用薬剤調整支援料1		内服薬6種類以上→2種類以上減少、 月1回まで	125点	剤調A
服用薬剤調整支援料2	−	内服薬6種類以上→処方医への 重複投薬等の解消提案、3月に1回まで 重複投薬等の解消の実績あり またはそれ以外	実績あり110点 それ以外90点	剤調B 剤調C
調剤後薬剤管理指導料		地域支援体制加算の届出を行っている 保険薬局、月1回まで 1）糖尿病患者、糖尿病用剤の新たな処方 　または投薬内容の変更 2）慢性心不全患者、心疾患による入院経 　験あり	60点 60点	調後A 調後B
服薬情報等提供料1		保険医療機関からの求め、月1回まで	30点	服A
服薬情報等提供料2		イ）保険医療機関 ロ）リフィル処方箋の調剤 ハ）介護支援専門員	20点	服Bイ 服Bロ 服Bハ
服薬情報等提供料3		保険医療機関からの求め、 入院予定患者、3月に1回まで	50点	服C
在宅患者訪問薬剤管理指導料	○	在宅療養患者、医師の指示、 薬学的管理指導計画		
①単一建物患者　1人		月4回まで（末期の悪性腫瘍の	650点	訪A
②単一建物患者　2〜9人		患者、注射による麻薬投与が	320点	訪B
③単一建物患者　10人以上		必要な患者、中心静脈栄養法の	290点	訪C
④在宅患者オンライン 　薬剤管理指導料		患者は週2回&月8回まで） 保険薬剤師1人につき週40回まで （①〜④合わせて）	59点	在オ
麻薬管理指導加算		オンラインの場合は処方箋受付1回につき	100点 （オンライン22点）	麻
在宅患者医療用 　麻薬持続注射療法加算	○	医療用麻薬持続注射療法を行っている 在宅患者、オンライン不可	250点	医麻
乳幼児加算		6歳未満の乳幼児	100点 オンライン12点	乳 乳オ
小児特定加算		医療的ケア児（18歳未満）	450点 オンライン350点	小特 小特 オ
在宅中心静脈栄養法加算	○	在宅中心静脈栄養法を行っている患者、 オンライン不可	150点	中静
在宅患者緊急訪問薬剤管理指導料		在宅療養患者、医師の指示、 状態の急変等に伴う対応 ※新興感染症対応		
①計画的な訪問薬剤指導に 　係る疾患の急変		合わせて月4回まで、 （末期の悪性腫瘍の患者、	500点	緊訪A
②①・③以外		注射による麻薬投与が必要な 患者は原則として月8回まで）	200点	緊訪B
③在宅患者緊急オンライン 　薬剤管理指導料		主治医と連携する他の保険医の 指示でも可	59点	緊訪 オ
麻薬管理指導加算		オンラインの場合は処方箋受付1回につき	100点 オンライン22点	麻 麻オ

項目	届出	要件、算定上限	点数	略号
在宅患者緊急訪問薬剤管理指導料				
在宅患者医療用麻薬持続注射療法加算	○	医療用麻薬持続注射療法を行っている在宅患者、オンライン不可	250点	医麻
乳幼児加算		6歳未満の乳幼児 オンラインの場合は処方箋受付1回につき	100点 オンライン12点	乳 乳オ
小児特定加算		医療的ケア児（18歳未満） オンラインの場合は処方箋受付1回につき	450点 オンライン350点	小特 小特オ
在宅中心静脈栄養法加算	○	在宅中心静脈栄養法を行っている患者、オンライン不可	150点	中静
夜間・休日・深夜訪問加算		末期の悪性腫瘍の患者、注射による麻薬投与が必要な患者	夜間 400点 休日 600点 深夜 1,000点	夜訪 休訪 深訪
在宅患者緊急時等共同指導料		月2回まで、主治医と連携する他の保険医の指示でも可	700点	緊共
麻薬管理指導加算			100点	麻
在宅患者医療用麻薬持続注射療法加算	○	医療用麻薬持続注射療法を行っている患者	250点	医麻
乳幼児加算		6歳未満の乳幼児	100点	乳
小児特定加算		医療的ケア児（18歳未満）	450点	小特
在宅中心静脈栄養法加算	○	在宅中心静脈栄養法を行っている患者	150点	中静

項目	要件、算定上限	点数	略号
在宅患者重複投薬・相互作用等防止管理料	1）疑義照会に伴う処方変更	残薬調整以外　40点	在防Aイ
		残薬調整　20点	在防Aロ
	2）処方箋交付前の処方提案に伴う処方箋	残薬調整以外　40点	在防Bイ
		残薬調整　20点	在防Bロ
経管投薬支援料	初回のみ	100点	経
在宅移行初期管理料	在宅療養開始前の管理・指導、在宅患者訪問薬剤管理指導料等の初回に算定	230点	在初
退院時共同指導料	入院中1回（末期の悪性腫瘍の患者等は入院中2回）まで、ビデオ通話可	600点	退共

第3節　薬剤料

項目	要件	点数
使用薬剤料 （所定単位につき15円以下の場合） （所定単位につき15円を超える場合）	薬剤調整料の所定単位につき	1点 10円又はその端数を増すごとに1点
多剤投与時の逓減措置	1処方につき7種類以上の内服薬、特別調剤基本料A・Bの保険薬局の場合	所定点数の90/100に相当する点数

第4節　特定保険医療材料料

項目	要件	点数
特定保険医療材料	厚生労働大臣が定めるものを除く	材料価格を10円で除して得た点数

介護報酬（令和6年6月1日施行）

項目	要件、算定上限	単位数
居宅療養管理指導費、 介護予防居宅療養管理指導費	《薬局の薬剤師が行う場合》	
①単一建物居住者　1人	合わせて月4回まで（末期の悪性腫瘍の患者、注射による麻薬投与が必要な患者、中心静脈栄養法の患者は週2回&月8回まで）	518単位
②単一建物居住者　2〜9人		379単位
③単一建物居住者　10人以上		342単位
④情報通信機器を用いた服薬指導を行った場合		46単位
麻薬管理指導加算		100単位
医療用麻薬持続注射療法加算	医療用麻薬持続注射療法を行っている患者、オンライン不可	250点単位
在宅中心静脈栄養法加算	在宅中心静脈栄養法を行っている患者、オンライン不可	150単位
特別地域加算		所定単位数の15%
中山間地域等小規模事業所加算		所定単位数の10%
中山間地域等居住者サービス提供加算		所定単位数の5%

レセプト電算処理システム用コード一覧
【調剤報酬明細書の「摘要」欄への記載事項等一覧（2024年3月27日現在）】

調剤行為名称等	同日に複数の保険医療機関が交付した同一患者の処方箋を受け付けた際に、2回目以降の受付に対して調剤基本料の減算規定を適用しない場合（注3に該当しない場合）	項番	1	区分	00
記載事項	同日の異なる時刻に処方箋を複数受け付けた場合は、処方箋を受け付けた年月日及び時刻をそれぞれ記載すること。				

レセプト電算処理システム用コード	左記コードによるレセプト表示文言
850100486	処方箋受付年月日（調剤基本料）；（元号）yy"年"mm"月"dd"日"
851100065	処方箋受付時刻（同日1回目受付）；hh"時"mm"分"
851100066	処方箋受付時刻（同日2回目以降受付）；hh"時"mm"分"

調剤行為名称等	薬剤調製料（内服薬）	項番	2	区分	01
記載事項	（配合禁忌等の理由により内服薬を別剤とした場合）「配合不適等調剤技術上の必要性から個別に調剤した場合」、「内服用固形剤（錠剤、カプセル剤、散剤等）と内服用液剤の場合」、「内服錠、チュアブル錠及び舌下錠等のように服用方法が異なる場合」又は「その他」から最も当てはまる理由をひとつ記載すること。「その他」を選択した場合は、具体的な理由を記載すること。				

レセプト電算処理システム用コード	左記コードによるレセプト表示文言
820100367	薬剤調製料（内服薬）：配合不適等調剤技術上の必要性から個別に調剤した場合
820100368	薬剤調製料（内服薬）：内服用固形剤（錠剤、カプセル剤、散剤等）と内服用液剤の場合
820100369	薬剤調製料（内服薬）：内服錠、チュアブル錠及び舌下錠等のように服用方法が異なる場合
830100001	薬剤調製料（内服薬）：その他理由；＊＊＊＊＊＊

調剤行為 名称等	自家製剤加算	項番	3	区分	'01
記載事項	（自家製剤加算を算定した場合であって「処方」欄の記載内容からは加算理由が不明のとき） 算定理由が明確となるように記載すること。				

レセプト電算処理 システム用コード	左記コードによる レセプト表示文言
830100438	算定理由（自家製剤加算）；＊＊＊＊＊＊

記載事項	（医薬品の供給上の問題により当該加算を算定する場合） 調剤に必要な数量が確保できなかった薬剤名を記載すること。

レセプト電算処理 システム用コード	左記コードによる レセプト表示文言
830100908	調剤に必要な数量が確保できなかった薬剤名（自家製剤加算）；＊＊＊＊＊＊

記載事項	（医薬品の供給上の問題により当該加算を算定する場合） 調剤に必要な数量が確保できなかったやむを得ない事情を記載すること。

レセプト電算処理 システム用コード	左記コードによる レセプト表示文言
820101255	調剤に必要な数量が確保できなかったやむを得ない事情（自家製剤加算）： 医薬品の供給上の問題
830100909	調剤に必要な数量が確保できなかったやむを得ない事情（自家製剤加算）； その他；＊＊＊＊＊＊

調剤行為 名称等	自家製剤加算 計量混合調剤加算	項番	4	区分	01
記載事項	（同一の保険医療機関で一連の診療に基づいて同一の患者に対して交付され、受付回数1回とされた異なる保険医の発行する処方箋に係る調剤については、同一調剤であっても、それぞれ別の「処方」欄に記載することとされているが、このことにより、自家製剤加算及び計量混合調剤加算を算定した場合であって「処方」欄の記載内容からは加算理由が不明のとき） 算定理由が明確となるように記載すること。				

レセプト電算処理 システム用コード	左記コードによる レセプト表示文言
830100439	異なる保険医の発行する処方箋に係る算定理由（自家製剤加算）； ＊＊＊＊＊＊＊
830100441	異なる保険医の発行する処方箋に係る算定理由（計量混合調剤加算）； ＊＊＊＊＊＊

調剤行為 名称等	時間外加算 休日加算 深夜加算 時間外加算の特例	項番	5	区分	01
記載事項	処方箋を受け付けた年月日及び時刻を記載すること。				

レセプト電算処理 システム用コード	左記コードによる レセプト表示文言
850100366	処方箋受付年月日（時間外加算）；（元号）yy"年"mm"月"dd"日"
851100035	処方箋受付時刻（時間外加算）；hh"時"mm"分"
850100367	処方箋受付年月日（休日加算）；（元号）yy"年"mm"月"dd"日"
850100368	処方箋受付年月日（深夜加算）；（元号）yy"年"mm"月"dd"日"
851100036	処方箋受付時刻（深夜加算）；hh"時"mm"分"
850100369	処方箋受付年月日（時間外加算の特例）；（元号）yy"年"mm"月"dd"日"
851100037	処方箋受付時刻（時間外加算の特例）；hh"時"mm"分"

調剤行為 名称等	重複投薬・相互作用等防止加算	項番	6	区分	10の2
記載事項	処方医に連絡・確認を行った内容の要点、変更内容を記載すること。				

レセプト電算処理 システム用コード	左記コードによる レセプト表示文言
820101030	内容（重複投薬・相互作用等防止加算）：同種・同効の併用薬との重複投薬
820101031	内容（重複投薬・相互作用等防止加算）：併用薬・飲食物等との相互作用
820101032	内容（重複投薬・相互作用等防止加算）：過去のアレルギー歴、副作用歴
820101256	内容の要点（重複投薬・相互作用等防止加算）：年齢や体重による影響
820101257	内容の要点（重複投薬・相互作用等防止加算）：肝機能、腎機能等による影響
820101034	内容（重複投薬・相互作用等防止加算）：授乳・妊婦への影響
830100775	内容（重複投薬・相互作用等防止加算）：その他薬学的観点から必要と認める事項；＊＊＊＊＊＊＊＊＊＊

調剤行為 名称等	特定薬剤管理指導加算2	項番	7	区分	10の3 13の2
記載事項	当該患者に抗悪性腫瘍剤を注射している保険医療機関の名称及び当該保険医療機関に情報提供を行った年月日を記載すること。				

レセプト電算処理 システム用コード	左記コードによる レセプト表示文言
850100372	情報提供を行った年月日（特定薬剤管理指導加算2）；（元号）yy"年"mm"月"dd"日"
830100445	患者に抗悪性腫瘍剤を注射している保険医療機関名（特定薬剤管理指導加算2）；＊＊＊＊＊＊

調剤行為 名称等	特定薬剤管理指導加算3ロ	項番	8	区分	10の3 13の2
記載事項	（医薬品の供給の状況を踏まえ説明を行った場合） 調剤に必要な数量が確保できなかった薬剤名を記載すること。				
レセプト電算処理 システム用コード	左記コードによる レセプト表示文言				
830100910	調剤に必要な数量が確保できなかった薬剤名（特定薬剤管理指導加算3）； ＊＊＊＊＊＊				

調剤行為 名称等	吸入薬指導加算	項番	9	区分	10の3 13の2
記載事項	対象となる吸入薬の調剤年月日及び吸入薬の名称を記載すること。				
レセプト電算処理 システム用コード	左記コードによる レセプト表示文言				
850100480	吸入薬の調剤年月日（吸入薬指導加算）；（元号）yy"年"mm"月"dd"日"				
830100446	吸入薬の名称（吸入薬指導加算）；＊＊＊＊＊＊				

調剤行為 名称等	調剤後薬剤管理指導料1	項番	10	区分	14の4
記載事項	当該患者に糖尿病用剤を処方している保険医療機関の名称及び当該保険医療機関に情報提供を行った年月日を記載すること。				
レセプト電算処理 システム用コード	左記コードによる レセプト表示文言				
850190255	情報提供を行った年月日（調剤後薬剤管理指導料1）；（元号）yy"年"mm"月"dd"日"				
830100911	糖尿病用剤を処方した保険医療機関名（調剤後薬剤管理指導料1）； ＊＊＊＊＊＊				

調剤行為 名称等	調剤後薬剤管理指導料2	項番	11	区分	14の4
記載事項	当該患者に循環器用薬等を処方している保険医療機関の名称及び当該保険医療機関に情報提供を行った年月日を記載すること。				
レセプト電算処理 システム用コード	左記コードによる レセプト表示文言				
850190256	情報提供を行った年月日（調剤後薬剤管理指導料2）；（元号）yy"年"mm"月"dd"日"				
830100912	循環器用薬等を処方した保険医療機関名（調剤後薬剤管理指導料2）； ＊＊＊＊＊＊				

調剤行為 名称等	服薬管理指導料 かかりつけ薬剤師指導料 かかりつけ薬剤師包括管理料	項番	12	区分	10の3 13の2 13の3
記載事項	（在宅患者訪問薬剤管理指導料を算定している患者について、当該患者の薬学的管理指導計画に係る疾病と別の疾病又は負傷に係る臨時の投薬が行われ、服薬管理指導料、かかりつけ薬剤師指導料又はかかりつけ薬剤師包括管理料を算定する場合） 算定年月日を記載すること。				

レセプト電算処理 システム用コード	左記コードによる レセプト表示文言
850100374	算定年月日（服薬管理指導料）；（元号）yy"年"mm"月"dd"日"
850100375	算定年月日（かかりつけ薬剤師指導料）；（元号）yy"年"mm"月"dd"日"
850100376	算定年月日（かかりつけ薬剤師包括管理料）；（元号）yy"年"mm"月"dd"日"

調剤行為 名称等	服薬管理指導料3	項番	13	区分	10の3
記載事項	服薬管理指導料3の対象患者の入所する施設類型について選択し記載すること。（介護医療院又は介護老人保健施設に入所中の患者については、医師が高齢者の医療の確保に関する法律の規定による療養の給付等の取扱い及び担当に関する基準第20条第4号ハに係る処方箋を交付した場合に限る。）				

レセプト電算処理 システム用コード	左記コードによる レセプト表示文言
820101258	服薬管理指導料3：介護老人福祉施設（特養）に入所している患者
820101259	服薬管理指導料3：短期入所生活介護（ショートステイ）を受けている患者
820101260	服薬管理指導料3：介護医療院に入所している患者
820101261	服薬管理指導料3：介護老人保健施設（老健）に入所している患者

調剤行為 名称等	外来服薬支援料1	項番	14	区分	14の2
記載事項	外来服薬支援料1の「注1」又は「注2」のどちらに該当するかを記載し、服薬管理を実施した年月日、保険医療機関の名称を記載すること。 なお、保険医療機関の名称については、注1の場合においては、服薬支援の必要性を確認した保険医療機関の名称を、注2の場合においては情報提供をした保険医療機関の名称をそれぞれ記載すること。				

レセプト電算処理 システム用コード	左記コードによる レセプト表示文言
820100793	外来服薬支援料1：注1
820100794	外来服薬支援料1：注2
850100370	服薬管理を実施した年月日（外来服薬支援料1）；（元号）yy"年"mm"月"dd"日"
830100442	情報提供を行った保険医療機関の名称（外来服薬支援料1）；******

調剤行為名称等	外来服薬支援料2		項番	15	区分	14の2
記載事項	（同一の保険医療機関で一連の診療に基づいて同一の患者に対して交付され、受付回数1回とされた異なる保険医の発行する処方箋に係る調剤については、同一調剤であっても、それぞれ別の「処方」欄に記載することとされているが、このことにより、外来服薬支援料2を算定した場合であって「処方」欄の記載内容からは加算理由が不明のとき） 算定理由が明確となるように記載すること。					

レセプト電算処理システム用コード	左記コードによる レセプト表示文言
830100776	異なる保険医の発行する処方箋に係る算定理由（外来服薬支援料2）； ＊＊＊＊＊＊＊

調剤行為名称等	施設連携加算	項番	16	区分	14の2
記載事項	特に重点的な服薬管理の支援を行うことが必要な理由を選択し記載すること。				

レセプト電算処理システム用コード	左記コードによる レセプト表示文言
820101262	算定理由（施設連携加算）：施設入所時であって、服用している薬剤が多いため
820101263	算定理由（施設連携加算）：新たな薬剤が処方された若しくは薬剤の用法又は用量が変更となったため
820101264	算定理由（施設連携加算）：患者が服薬している薬剤に関する副作用・体調の変化等における当該施設職員からの相談があったため

調剤行為名称等	服用薬剤調整支援料1	項番	17	区分	14の3
記載事項	減薬の提案を行った年月日、保険医療機関の名称及び保険医療機関における調整前後の薬剤種類数を記載すること。 [記載例] ○○市立病院にて○種類から○種類に調整。○○医院にて○種類から○種類に調整。				

レセプト電算処理システム用コード	左記コードによる レセプト表示文言
850100371	減薬の提案を行った年月日（服用薬剤調整支援料1）；（元号）yy"年"mm"月"dd"日"
830100443	保険医療機関名及び調整前後の種類数（服用薬剤調整支援料1）； ＊＊＊＊＊＊

調剤行為名称等	服用薬剤調整支援料2	項番	18	区分	14の3
記載事項	提案を行った全ての保険医療機関の名称を記載すること。				

レセプト電算処理システム用コード	左記コードによる レセプト表示文言
830100444	提案を行った保険医療機関名（服用薬剤調整支援料2）；＊＊＊＊＊＊

調剤行為 名称等	在宅患者訪問薬剤管理指導料 在宅患者緊急訪問薬剤管理指導料 在宅患者緊急時等共同指導料 服薬情報等提供料（服薬情報等提供 料3を除く）	項番	19	区分	15 15の2 15の3 15の5
記載事項	（調剤を行っていない月に在宅患者訪問薬剤管理指導料（在宅患者オンライン薬剤管理指導料を含む）、在宅患者緊急訪問薬剤管理指導料又は在宅患者緊急時等共同指導料又は服薬情報等提供料（服薬情報等提供料3を除く）を算定した場合） 情報提供又は訪問の対象となる調剤の年月日及び投薬日数を記載すること。				

レセプト電算処理 システム用コード	左記コードによる レセプト表示文言
基本料・ 薬学管理料 レコード 「前回調剤年月日」	（元号）yy"年"mm"月"dd"日調剤"
基本料・ 薬学管理料 レコード 「前回調剤数量」	ddd"日分投薬"

※項番19については、紙レセプトのみ記載が必要となる。請求上、該当する「レセプト電算処理システム用コード」の記録により必然的に記載される内容になるので、別途コメントとしての記載は不要である。

調剤行為 名称等	在宅患者訪問薬剤管理指導料	項番	20	区分	15

記載事項	（月に２回以上算定する場合） それぞれ算定の対象となる訪問指導（在宅患者オンライン薬剤管理指導料を含む）を行った日を記載すること。

レセプト電算処理 システム用コード	左記コードによる レセプト表示文言
850100378	訪問指導年月日（在宅患者訪問薬剤管理指導料）；（元号）yy"年"mm"月"dd"日"

記載事項	（単一建物診療患者が２人以上の場合） その人数を記載すること。

レセプト電算処理 システム用コード	左記コードによる レセプト表示文言
842100071	単一建物診療患者人数（在宅患者訪問薬剤管理指導料）；＊＊＊＊＊＊

記載事項	（１つの患家に当該指導料の対象となる同居する同一世帯の患者が２人以上いる場合、保険薬局が在宅患者訪問薬剤管理指導料を算定する患者数が当該建築物の戸数の10%以下の場合、当該建築物の戸数が20戸未満で保険薬局が在宅患者訪問薬剤管理指導料を算定する患者が２人以下の場合又はユニット数が３以下の認知症対応型共同生活介護事業所のそれぞれのユニットにおいて在宅患者訪問薬剤管理指導料を算定する人数を単一建物診療患者の人数とみなす場合） 「同居する同一世帯の患者が２人以上」、「訪問薬剤管理指導を行う患者数が当該建築物の戸数の10%以下」、「当該建築物の戸数が20戸未満で訪問薬剤管理指導を行う患者が２人以下」又は「ユニット数が３以下の認知症対応型共同生活介護事業所」の中から、該当するものを選択して記載すること。

レセプト電算処理 システム用コード	左記コードによる レセプト表示文言
820100103	同居する同一世帯の患者が２人以上
820100371	訪問薬剤管理指導を行う患者数が当該建築物の戸数の10%以下
820100372	当該建築物戸数が20戸未満で訪問薬剤管理指導を行う患者が２人以下
820100094	ユニット数が３以下の認知症対応型共同生活介護事業所

調剤行為 名称等	在宅患者訪問薬剤管理指導料 在宅患者緊急訪問薬剤管理指導料	項番	21	区分	15 15の2
記載事項	（訪問薬剤管理指導を主に実施している保険薬局（以下「在宅基幹薬局」という）に代わって連携する他の薬局（以下「在宅協力薬局」という）が訪問薬剤管理指導を実施し、在宅患者訪問薬剤管理指導料又は在宅患者緊急訪問薬剤管理指導料を算定した場合） 在宅基幹薬局は当該訪問薬剤管理指導を実施した日付及び在宅協力薬局名を記載すること。				

レセプト電算処理 システム用コード	左記コードによる レセプト表示文言
850100379	（在宅基幹薬局）実施年月日（在宅患者訪問薬剤管理指導料）；（元号）yy"年"mm"月"dd"日"
830100448	（在宅基幹薬局）在宅協力薬局名（在宅患者訪問薬剤管理指導料）；＊＊＊＊＊＊
850100380	（在宅基幹薬局）実施年月日（在宅患者緊急訪問薬剤管理指導料）；（元号）yy"年"mm"月"dd"日"
830100449	（在宅基幹薬局）在宅協力薬局名（在宅患者緊急訪問薬剤管理指導料）；＊＊＊＊＊＊

調剤行為 名称等	在宅患者訪問薬剤管理指導料 在宅患者緊急訪問薬剤管理指導料	項番	22	区分	15 15の2
記載事項	（在宅基幹薬局に代わって在宅協力薬局が訪問薬剤管理指導（この場合においては、介護保険における居宅療養管理指導及び介護予防居宅療養管理指導費を含む）を実施した場合であって、処方箋が交付されていた場合） 在宅協力薬局は当該訪問薬剤管理指導を実施した日付を記載すること。				

レセプト電算処理 システム用コード	左記コードによる レセプト表示文言
850100381	（在宅協力薬局）実施年月日（在宅患者訪問薬剤管理指導料）；（元号）yy"年"mm"月"dd"日"
850100382	（在宅協力薬局）実施年月日（在宅患者緊急訪問薬剤管理指導料）；（元号）yy"年"mm"月"dd"日"

調剤行為名称等	在宅患者訪問薬剤管理指導料 在宅患者緊急訪問薬剤管理指導料 在宅患者緊急時等共同指導料	項番	23	区分	15 15の2 15の3
記載事項	（介護老人福祉施設（特別養護老人ホーム）の入所者であって末期の悪性腫瘍の患者に対して実施した場合） 訪問薬剤管理指導等（在宅患者オンライン薬剤管理指導料を含む）を実施した日付を記載すること。				

レセプト電算処理システム用コード	左記コードによるレセプト表示文言
850190257	（特養のがん末期の患者）訪問指導年月日（在宅患者訪問薬剤管理指導料）；（元号）yy"年"mm"月"dd"日"
850190258	（特養のがん末期の患者）訪問指導年月日（在宅患者オンライン薬剤管理指導料）；（元号）yy"年"mm"月"dd"日"
850190259	（特養のがん末期の患者）訪問指導年月日（在宅患者緊急訪問薬剤管理指導料）；（元号）yy"年"mm"月"dd"日"
850190260	（特養のがん末期の患者）訪問指導年月日（在宅患者緊急オンライン薬剤管理指導料）；（元号）yy"年"mm"月"dd"日"
850190261	（特養のがん末期の患者）訪問指導年月日（在宅患者緊急時共同指導料）；（元号）yy"年"mm"月"dd"日"

調剤行為名称等	在宅患者緊急訪問薬剤管理指導料1 在宅患者緊急訪問薬剤管理指導料2	項番	24	区分	15の2
記載事項	（末期の悪性腫瘍の患者及び注射による麻薬の投与が必要な患者に対して実施する場合であって、月8回を超えて算定する場合） 当該訪問が必要であった理由を選択し記載すること。				

レセプト電算処理システム用コード	左記コードによるレセプト表示文言
820101265	訪問が必要であった理由（在宅患者緊急訪問薬剤管理指導料1）：悪性腫瘍患者に対する麻薬の処方
820101266	訪問が必要であった理由（在宅患者緊急訪問薬剤管理指導料1）：悪性腫瘍患者に対する麻薬以外の処方
820101267	訪問が必要であった理由（在宅患者緊急訪問薬剤管理指導料1）：悪性腫瘍以外の患者に対する麻薬の処方
830100913	訪問が必要であった理由（在宅患者緊急訪問薬剤管理指導料1）：その他；＊＊＊＊＊＊
820101268	訪問が必要であった理由（在宅患者緊急訪問薬剤管理指導料2）：悪性腫瘍患者に対する麻薬の処方
820101269	訪問が必要であった理由（在宅患者緊急訪問薬剤管理指導料2）：悪性腫瘍患者に対する麻薬以外の処方
820101270	訪問が必要であった理由（在宅患者緊急訪問薬剤管理指導料2）：悪性腫瘍以外の患者に対する麻薬の処方
830100914	訪問が必要であった理由（在宅患者緊急訪問薬剤管理指導料2）：その他；＊＊＊＊＊＊

調剤行為名称等	在宅患者緊急訪問薬剤管理指導料2	項番	25	区分	15の2

記載事項	（在宅患者訪問薬剤管理指導料、居宅療養管理指導及び介護予防居宅療養管理指導費を算定していない月に在宅患者緊急訪問薬剤管理指導料2を算定する場合） 直近の在宅患者訪問薬剤管理指導料、居宅療養管理指導及び介護予防居宅療養管理指導費を算定した年月日を記載すること。

レセプト電算処理システム用コード	左記コードによるレセプト表示文言
850100383	直近算定年月日（訪問薬剤管理指導）；（元号）yy"年"mm"月"dd"日"

調剤行為名称等	夜間訪問加算 休日訪問加算 深夜訪問加算	項番	26	区分	15の2

記載事項	処方箋を受け付けた年月日及び時刻、訪問指導した年月日及び時刻を記載すること。

レセプト電算処理システム用コード	左記コードによるレセプト表示文言
850190262	保険医から訪問指示があった年月日（夜間訪問加算）；（元号）yy"年"mm"月"dd"日"
851100071	保険医から訪問指示があった時刻（夜間訪問加算）；hh"時"mm"分"
850190263	訪問指導年月日（夜間訪問加算）；（元号）yy"年"mm"月"dd"日"
851100072	訪問指導時刻（夜間訪問加算）；hh"時"mm"分"
850190264	保険医から訪問指示があった年月日（休日訪問加算）；（元号）yy"年"mm"月"dd"日"
851100073	保険医から訪問指示があった時刻（休日訪問加算）；hh"時"mm"分"
850190265	訪問指導年月日（休日訪問加算）；（元号）yy"年"mm"月"dd"日"
851100074	訪問指導時刻（休日訪問加算）；hh"時"mm"分"
850190266	保険医から訪問指示があった年月日（深夜訪問加算）；（元号）yy"年"mm"月"dd"日"
851100075	保険医から訪問指示があった時刻（深夜訪問加算）；hh"時"mm"分"
850190267	訪問指導年月日（深夜訪問加算）；（元号）yy"年"mm"月"dd"日"
851100076	訪問指導時刻（深夜訪問加算）；hh"時"mm"分"

記載事項	当該訪問が必要であった理由を選択し記載すること。

レセプト電算処理システム用コード	左記コードによるレセプト表示文言
820101271	訪問が必要であった理由（夜間・休日・深夜訪問加算）：末期の悪性腫瘍患者であるため
820101272	訪問が必要であった理由（夜間・休日・深夜訪問加算）：注射による麻薬の投与が必要な患者であるため

調剤行為名称等	退院時共同指導料	項番	27	区分	15の4

記載事項	指導年月日、共同して指導を行った患者が入院する保険医療機関の保険医等の氏名及び保険医療機関の名称並びに退院後の在宅医療を担う保険医療機関の名称を記載すること。

レセプト電算処理システム用コード	左記コードによるレセプト表示文言
850100385	指導年月日（退院時共同指導料）；（元号）yy"年"mm"月"dd"日"
830100450	患者が入院している保険医療機関の保険医等の氏名（退院時共同指導料）；＊＊＊＊
830100451	患者が入院している保険医療機関名（退院時共同指導料）；＊＊＊＊＊＊
830100452	退院後の在宅医療を担う保険医療機関名（退院時共同指導料）；＊＊＊＊＊＊

調剤行為名称等	服薬情報等提供料3	項番	28	区分	15の5

記載事項	情報提供先の保険医療機関の名称及び診療科名を記載すること。 なお、情報提供先の保険医療機関の名称について、複数の保険医療機関に対して服薬情報等の提供を行った場合は各保険医療機関の名称を記載すること。診療科名については、同一保険医療機関の複数の診療科に対して服薬情報等の提供を行った場合に各診療科名を記載すること。

レセプト電算処理システム用コード	左記コードによるレセプト表示文言
830100638	情報提供先の保険医療機関名（服薬情報等提供料3）；＊＊＊＊＊＊
830100639	情報提供先の診療科名（服薬情報等提供料3）；＊＊＊＊＊＊

調剤行為名称等	在宅患者重複投薬・相互作用等防止管理料 1　処方箋に基づく場合（残薬調整に係るもの以外の場合）	項番	29	区分	15の6
記載事項	処方医に連絡・確認を行った内容の要点、変更内容を記載すること。				

レセプト電算処理システム用コード	左記コードによるレセプト表示文言
820101035	内容（在宅患者重複投薬・相互作用等防止管理料）：同種・同効の併用薬との重複投薬
820101036	内容（在宅患者重複投薬・相互作用等防止管理料）：併用薬・飲食物等との相互作用
820101037	内容（在宅患者重複投薬・相互作用等防止管理料）：過去のアレルギー歴、副作用歴
820101275	内容の要点（在宅患者重複投薬・相互作用等防止管理料）：年齢や体重による影響
820101276	内容の要点（在宅患者重複投薬・相互作用等防止管理料）：肝機能、腎機能等による影響
820101039	内容（在宅患者重複投薬・相互作用等防止管理料）：授乳・妊婦への影響
830100777	内容（在宅患者重複投薬・相互作用等防止管理料）：その他薬学的観点から必要と認める事項；＊＊＊＊＊＊＊＊＊＊

調剤行為名称等	在宅患者重複投薬・相互作用等防止管理料 2のイ　処方箋交付前の場合（残薬調整に係るもの以外の場合）	項番	30	区分	15の6
記載事項	処方箋の交付前に行った処方医への処方提案の内容の要点を記載すること。				

レセプト電算処理 システム用コード	左記コードによる レセプト表示文言
820101277	内容の要点（在宅患者重複投薬・相互作用等防止管理料：前）：同種・同効の併用薬との重複投薬
820101278	内容の要点（在宅患者重複投薬・相互作用等防止管理料：前）：併用薬・飲食物等との相互作用
820101279	内容の要点（在宅患者重複投薬・相互作用等防止管理料：前）：過去のアレルギー歴、副作用歴
820101280	内容の要点（在宅患者重複投薬・相互作用等防止管理料：前）：年齢や体重による影響
820101281	内容の要点（在宅患者重複投薬・相互作用等防止管理料：前）：肝機能、腎機能等による影響
820101282	内容の要点（在宅患者重複投薬・相互作用等防止管理料：前）：授乳・妊婦への影響
830100915	内容の要点（在宅患者重複投薬・相互作用等防止管理料：前）：その他薬学的観点から必要と認める事項；＊＊＊＊＊＊

記載事項	患者へ処方箋を交付する前に処方医と処方内容を相談した年月日を記載すること。

レセプト電算処理 システム用コード	左記コードによる レセプト表示文言
850190268	相談年月日（在宅患者重複投薬・相互作用等防止管理料：前）；（元号）yy"年"mm"月"dd"日"

記載事項	薬剤の変更内容について選択し記載すること。

レセプト電算処理 システム用コード	左記コードによる レセプト表示文言
820101283	薬剤の変更内容（在宅患者重複投薬・相互作用等防止管理料：前）：薬剤の追加
820101284	薬剤の変更内容（在宅患者重複投薬・相互作用等防止管理料：前）：薬剤の削減
820101285	薬剤の変更内容（在宅患者重複投薬・相互作用等防止管理料：前）：同種同効薬への変更
820101286	薬剤の変更内容（在宅患者重複投薬・相互作用等防止管理料：前）：剤形の変更
820101287	薬剤の変更内容（在宅患者重複投薬・相互作用等防止管理料：前）：用量の変更
820101288	薬剤の変更内容（在宅患者重複投薬・相互作用等防止管理料：前）：用法の変更
830100916	薬剤の変更内容（在宅患者重複投薬・相互作用等防止管理料：前）：その他；＊＊＊＊＊＊

調剤行為 名称等	在宅患者重複投薬・相互作用等防止管理料 2のロ 処方箋交付前の場合（残薬調整に係るものの場合）	項番	31	区分	15の6
記載事項	患者へ処方箋を交付する前に処方医と処方内容を相談した年月日を記載すること。				

レセプト電算処理 システム用コード	左記コードによる レセプト表示文言
850190269	相談年月日（在宅患者重複投薬・相互作用等防止管理料：事前の残薬調整）；（元号）yy"年"mm"月"dd"日"

調剤行為 名称等	在宅移行初期管理料	項番	32	区分	15の8
記載事項	（計画的な訪問薬剤管理指導を実施する前であって別の日に患家を訪問して実施した場合） 訪問を実施した日付について、記載すること。				

レセプト電算処理 システム用コード	左記コードによる レセプト表示文言
850190270	訪問を実施した年月日（在宅移行初期管理料）；（元号）yy"年"mm"月"dd"日"

記載事項	特に重点的な服薬支援を行う必要性あると判断した対象患者を選択し記載すること。

レセプト電算処理 システム用コード	左記コードによる レセプト表示文言
820101289	対象患者（在宅移行初期管理料）：認知症患者、精神障害者である患者など自己による服薬管理が困難な患者
820101290	対象患者（在宅移行初期管理料）：障害児である18歳未満の患者
820101291	対象患者（在宅移行初期管理料）：6歳未満の乳幼児
820101292	対象患者（在宅移行初期管理料）：末期のがん患者
820101293	対象患者（在宅移行初期管理料）：注射による麻薬の投与が必要な患者

調剤行為 名称等	一般名処方が行われた医薬品について後発医薬品を調剤しなかった場合	項番	33	区分	ー
記載事項	（一般名処方が行われた医薬品について後発医薬品を調剤しなかった場合）その理由について、「患者の意向」、「保険薬局の備蓄」、「後発医薬品なし」又は「その他」から最も当てはまる理由をひとつ記載すること。				

レセプト電算処理 システム用コード	左記コードによる レセプト表示文言
820100373	後発医薬品を調剤しなかった理由：患者の意向
820100374	後発医薬品を調剤しなかった理由：保険薬局の備蓄
820100375	後発医薬品を調剤しなかった理由：後発医薬品なし
820100376	後発医薬品を調剤しなかった理由：その他

調剤行為 名称等	長期収載品の選定療養に関する取扱い	項番	34	区分	―
記載事項	（長期収載品について、選定療養の対象とはせずに、保険給付する場合） 理由を記載すること。 ※記載は制度が施行となる令和6年10月からとする。				
レセプト電算処理 システム用コード	左記コードによる レセプト表示文言				
××××	※レセプト電算処理システム用コード、レセプト表示文言（理由の具体例） については、追ってお示しする。				

調剤行為 名称等	長期の旅行等特殊の事情が ある場合に、日数制限を超えて 投与された場合	項番	35	区分	―
記載事項	長期の旅行等特殊の事情がある場合において、必要があると認められ、投薬量が1回14日分を限度とされる内服薬及び外用薬であって14日を超えて投与された場合は、処方箋の備考欄に記載されている長期投与の理由について、「海外への渡航」、「年末・年始又は連休」又は「その他」からもっとも当てはまるものをひとつ記載すること。「その他」を選択した場合は具体的な理由を記載すること。				
レセプト電算処理 システム用コード	左記コードによる レセプト表示文言				
820100795	長期投与の理由：海外への渡航（年末・年始又は連休に該当するものは除く。）				
820100796	長期投与の理由：年末・年始又は連休				
830100453	長期投与の理由：その他理由；＊＊＊＊＊＊＊＊				

調剤行為 名称等	63枚を超えて湿布薬が 処方されている処方箋に基づき 調剤を行った場合	項番	36	区分	―
記載事項	63枚を超えて湿布薬が処方されている処方箋に基づき調剤を行った場合は、処方医が当該湿布薬の投与が必要であると判断した趣旨について、処方箋の記載により確認した旨又は疑義照会により確認した旨を記載すること。				
レセプト電算処理 システム用コード	左記コードによる レセプト表示文言				
820100377	処方箋記載により確認				
820100378	疑義照会により確認				

調剤行為 名称等	介護保険に相当するサービスを行った場合に、当該患者が要介護者又は要支援者である場合	項番	37	区分	－
記載事項	居宅療養管理指導費及び介護予防居宅療養管理指導費により訪問指導を行った日を記載すること。				

レセプト電算処理 システム用コード	左記コードによる レセプト表示文言
850190271	訪問指導年月日（居宅療養管理指導費等）；（元号）yy"年"mm"月"dd"日"

記載事項	要支援度及び要介護度（月末時点）を選択し、記載すること。

レセプト電算処理 システム用コード	左記コードによる レセプト表示文言
820101294	要支援1
820101295	要支援2
820101296	要介護1
820101297	要介護2
820101298	要介護3
820101299	要介護4
820101300	要介護5

調剤行為 名称等	プログラム医療機器の評価療養に関する取扱い	項番	38	区分	－
記載事項	「器評」と記載し、当該プログラム医療機器名を他の特定保険医療材料と区別して記載すること。				

レセプト電算処理 システム用コード	左記コードによる レセプト表示文言
820000095	（器評）
820101251	第1段階承認後のプログラム医療機器
820101252	チャレンジ申請による再評価を目指すプログラム医療機器

※「記載事項」欄における括弧書は、該当する場合に記載する事項であること。
※「記載事項」欄の記載事項は、「摘要」欄へ記載するものであること。

監修者

東京理科大学薬学部 教授／有限会社グッドファーマシー 代表取締役
鹿村恵明（しかむら よしあき）

1988年昭和薬科大学薬学部卒業、サンド薬品株式会社、足利中央病院勤務を経て、1993年から保険薬局薬剤師となる。2005年有限会社グッドファーマシー代表取締役に就任し、栃木県足利市でエムズ薬局を経営しながら、2008年より東京理科大学薬学部教授（薬局管理学）を兼務。（一社）栃木県薬剤師会副会長。
博士（薬学）東京理科大学。薬剤師の疑義照会（処方薬に対する疑問点等を医師に確認する業務）の有用性、OTC医薬品（処方箋なしで購入できる市販薬）の有効活用、薬剤師と歯科医師の連携による口腔ケア、SNSを使った服薬フォローアップシステムの開発などの研究をしている。

東京理科大学薬学部 嘱託教授／株式会社ファーミック 代表取締役
上村直樹（かみむら なおき）

1986年東京理科大学薬学部卒業。在学中に富士見台調剤薬局（株式会社ファーミック）を開設、1998年東京理科大学薬学部非常勤講師を経て2006年教授に昇任。
薬剤師会職務としては、東京都北多摩薬剤師会長、2004年東京都薬剤師会理事、2006年に常務理事、2008年に副会長。2014年日本薬剤師会理事に就任。
博士（薬学）東京理科大学。専門は薬局管理学、医薬品情報学、社会薬学。大学では調剤過誤防止をテーマに、医薬品のパッケージやPTP包装の色・デザインなどによる識別性の研究をしている。

著者

東京理科大学薬学部 臨床教授／公益社団法人神奈川県薬剤師会 薬事情報センター長
花島邦彦（はなじま くにひこ）

1983年星薬科大学薬学部卒業。1983年茅ヶ崎徳洲会総合病院薬剤部、1988年湘南鎌倉総合病院薬局長。1996年有限会社サン・メディカル設立、アスカ薬局茅ヶ崎駅前店開局。2022年より神奈川県薬剤師会薬事情報センター長。2009年より東京理科大学薬学部臨床教授。2010年〜2015年神奈川県薬剤師会理事。2017年から公益社団法人日本医療保険事務協会試験委員。

東京理科大学薬学部 臨床教授／株式会社アップルケアネット 取締役薬事部部長
下野江之介（しもの こうのすけ）

1993年昭和大学薬学部卒業。1993年株式会社東京調剤センター入社、1998年昭和大学病院付属東病院の近くの「わかば薬局」薬局長。2003年株式会社アップルケアネット入社、自治医大前店勤務。2005年マネージャに就任し、店舗の開業・運営にかかわり関東6都県の保険薬剤師登録を経験。2010年薬事部部長に就任。2016年取締役就任。2020年より東京理科大学薬学部臨床教授。薬剤師会職務としては（一社）栃木県薬剤師会常務理事、（一社）小山薬剤師会理事。

株式会社シスプラ 代表取締役
中屋瑞穂（なかや みずほ）

1996年栃木女子高校卒業。2002年株式会社シスプラ入社。入社当時はレセプトも紙請求だったが、レセプト電算、電子カルテ、電子薬歴と急速に電子化が進むなかで約20年間、毎日レセコンの操作に不可欠な保険やレセプト請求に関するQAの対応をしている。2019年より代表取締役となったが、現在でも病院や診療所、保険薬局で利用しているレセコンのQAサポート業務を行っている。

● 本文デザイン・DTP／大山真葵（ごぼうデザイン事務所）
● イラスト／宮下やすこ
● 編集協力／有限会社ヴュー企画
● 編集担当／山路和彦（ナツメ出版企画株式会社）

ナツメ社Webサイト
https://www.natsume.co.jp
書籍の最新情報（正誤情報を含む）は
ナツメ社Webサイトをご覧ください。

本書に関するお問い合わせは、書名・発行日・該当ページを明記の上、下記のいずれかの
方法にてお送りください。電話でのお問い合わせはお受けしておりません。
・ナツメ社webサイトの問い合わせフォーム
　https://www.natsume.co.jp/contact
・FAX（03-3291-1305）
・郵送（下記、ナツメ出版企画株式会社宛て）
なお、回答までに日にちをいただく場合があります。正誤のお問い合わせ以外の書籍内容
に関する解説・個別の相談は行っておりません。あらかじめご了承ください。

'24-'25年版
調剤報酬事務〈よくある疑問〉がすっきりわかる本

2024年8月1日　初版発行

監修者	鹿村恵明	Shikamura Yoshiaki,2024
	上村直樹	Kamimura Naoki,2024
著　者	花島邦彦	©Hanajima Kunihiko,2024
	下野江之介	©Shimono Konosuke,2024
	中屋瑞穂	©Nakaya Mizuho,2024
発行者	田村正隆	

発行所　株式会社ナツメ社
　　　　東京都千代田区神田神保町1-52　ナツメ社ビル1F（〒101-0051）
　　　　電話 03-3291-1257（代表）　FAX 03-3291-5761
　　　　振替 00130-1-58661
制　作　ナツメ出版企画株式会社
　　　　東京都千代田区神田神保町1-52　ナツメ社ビル3F（〒101-0051）
　　　　電話 03-3295-3921（代表）
印刷所　ラン印刷社

ISBN978-4-8163-7602-3　　　　　　　　　　　　　　　Printed in Japan